Les
fiches-cuisine
de
ELLE

Légumes et potages

Les
fiches-cuisine
de
ELLE

Légumes et potages

FEP

Les fiches-cuisines de ELLE
ont été réalisées par
Madeleine Peter et
Monique Maine.
Les photographies sont de
André Bouillaud, Philippe Leroy
et Yves Jannes

Aligot

Pour 6 personnes :
1,200 kg de pommes
de terre bintje
600 g de cantal frais
(à commander dans une maison
de produits d'Auvergne)
3 cuillerées à soupe
de crème fraîche
75 g de beurre, 1 gousse d'ail, sel
Préparation : 20 minutes
Cuisson des pommes de terre :
25 à 30 minutes
Cuisson de l'aligot :
10 à 15 minutes

Épluchez les pommes de terre, faites-les cuire à l'eau salée comme pour une purée. □ Égouttez-les, passez-les au presse-purée. □ Ajoutez le beurre, mélangez-le à la spatule en bois en tenant la purée sur le feu. □ Lorsque le beurre est fondu, incorporez, hors du feu, l'ail écrasé et, petit à petit, le cantal coupé en fines lamelles, en soulevant toute la masse par-dessous, toujours à l'aide de la spatule, et en étirant l'aligot. □ Ajoutez la crème, travaillez encore, en tout 10 à 15 minutes en remettant de temps en temps la casserole sur le feu. □ Servez avec saucisse grillée, ou pieds de porc, ou rôti de porc.

L'aligot est, en Auvergne, un plat du vendredi qui, il y a quelques années encore, remplaçait le poisson. Il doit être fait dans une casserole à fond épais. On le présente à table posé sur un chauffe-plats, on le fait filer devant les invités sans attendre.

1

Artichauts

Pour 6 personnes :   Préparation : **10 minutes**
6 artichauts, vinaigrette   Cuisson : **25 à 30 minutes**

Ne coupez pas les queues des artichauts, arrachez-les. □ Vous retirerez en même temps tous les fils qui en durcissent le cœur. □ Lavez-les, parez-les en enlevant au fond toutes les parties non comestibles et en coupant les feuilles jusqu'aux petites feuilles violettes que vous conserverez. □ Faites-les cuire à l'eau bouillante salée, jusqu'à ce qu'une grosse feuille extérieure puisse être arrachée. □ Pour servir, enlevez le bouquet, les feuilles violettes, retirez le foin et parez en remettant les feuilles violettes à l'envers. Servez avec une vinaigrette riche en huile.

Fonds d'artichaut

Pour 6 personnes :   Préparation : **30 minutes**
6 fonds d'artichaut   Cuisson : **30 minutes environ**
2 citrons moyens

Avant d'arracher la queue, retirez deux ou trois rangs de grosses feuilles en laissant leur pied attaché au fond, puis arrachez le pied et, avec un couteau bien aiguisé, épluchez le fond comme une pomme de terre en ne conservant que les parties comestibles. □ Mais au fur et à mesure citronnez pour éviter le noir. □ Faites tremper et cuire à l'eau citronnée salée. Après cuisson, enlevez le foin. □ Servez avec des sauces chaudes : hollandaise, béarnaise, aurore, voire béchamel au fromage.

Artichauts à la crème

Pour 6 personnes :
6 artichauts bretons
2 citrons
3 cuill. à soupe de farine
100 g de beurre
250 g de crème

2 cuill. à soupe
de persil haché
sel, poivre, muscade
1/2 morceau de sucre
Préparation : 40 mn
Cuisson : 40 à 50 mn

Épluchez les artichauts pour ne garder que les fonds. □
Supprimez au couteau bien aiguisé toutes les parties
dures des feuilles, coupez-les en huit quartiers, enlevez
le foin. □ Au fur et à mesure, passez-les au jus de citron
pour qu'ils restent blancs, mettez-les dans l'eau citronnée. □ Faites bouillir 2 litres d'eau environ, avec une cuillerée à soupe de farine délayée à l'eau froide, salez. □
Jetez les artichauts dans cette eau bouillante avec un
morceau du citron dont vous avez employé le jus. Ébullition reprise pendant 10 minutes, égouttez-les. □ Mettez-
les dans une casserole avec un demi-morceau de sucre,
sel, une bonne cuillerée à soupe de beurre. □ Couvrez
d'eau chaude, pressez une petite cuillerée de jus de
citron, couvrez, faites cuire à petit feu jusqu'à ce qu'ils
soient tendres. □ Aussitôt, sortez-les à l'écumoire, gardez-les couverts au chaud. □ Faites réduire le fond de
cuisson à 3 cuillerées à soupe. □ Ajoutez-lui 3 décilitres
de béchamel faite avec une cuillerée à soupe de beurre,
une bonne cuillerée à soupe de farine mouillée avec la
crème, salée, poivrée, muscadée (facultatif). □ Mettez les
artichauts dans la casserole, amenez à ébullition, ajoutez
un peu d'eau chaude si la sauce est trop épaisse. Servez
en légumier saupoudré largement de persil haché.
En entrée ou accompagnant des côtes ou des escalopes
de veau cette préparation est très savoureuse.

Artichauts à la provençale

Pour 6 personnes :
36 tout petits
artichauts violets
12 petits oignons blancs
200 g de poitrine demi-sel
4 tomates moyennes

5 cuillerées à soupe
d'huile d'olive
thym, laurier, pistou
1 citron, sel, poivre
Préparation : 15 minutes
Cuisson : 1 heure

Coupez le bout des feuilles des artichauts. □ Enlevez le cœur à l'aide d'une cuillère parisienne (petite cuillère ronde coupante). □ Citronnez-les. □ Coupez les tomates en quatre.

Dans une casserole à fond épais, faites fondre sans matière grasse la poitrine coupée en lardons. □ Dès qu'elle est dorée sans brunir, retirez-la. □ Mettez les tomates dans la graisse, faites-les saisir de tous côtés. □ Retirez-les. □ Jetez la graisse et remplacez-la par l'huile d'olive. □ Faites revenir doucement les artichauts avec le thym effeuillé (une cuillerée à café), le laurier coupé en lanières (deux feuilles). □ Lorsqu'ils ont changé de couleur, ajoutez les oignons et laissez dorer légèrement. □ Remettez le lard, et les tomates. □ Salez, poivrez, couvrez.

Faites cuire à tout petit feu. □ Un quart d'heure avant la fin de la cuisson, ajoutez une cuillerée à soupe rase de pistou grossièrement haché.

Cette ratatouille d'artichauts est aussi bonne froide que chaude. Pour la servir froide, ajoutez un filet de citron.

4

Asperges

Pour 6 personnes :
3 kg d'asperges
1 cuillerée à soupe de sel
Pour la sauce :
2 cuillerées à soupe de beurre
1/4 de litre d'eau
de cuisson des asperges

2 cuillerées à soupe
de farine
150 g de crème fraîche
2 jaunes d'œufs
sel, poivre
Préparation : 20 mn
Cuisson : 20 à 30 mn

Épluchez les asperges avec le plus grand soin pour les débarrasser de leur pellicule dure. □ Ficelez-les par petites bottes, plongez-les dans de l'eau bouillante salée. □ Dès que l'ébullition est reprise, maintenez-la frémissante. □ Les asperges très fraîches cuisent en 20 minutes. □ Dès qu'un couteau les traverse aisément, sortez-les de l'eau et déposez-les sur une serviette pliée dans le plat de service. □ Si vous voulez les garder chaudes, couvrez-les d'une autre serviette pliée et mouillée dans l'eau de cuisson. □ Préparez la sauce veloutée : faites un roux blanc avec le beurre et la farine, mouillez avec le bouillon de cuisson. □ Laissez cuire 5 minutes.

Hors du feu, ajoutez les jaunes d'œufs, mélangez. Rectifiez l'assaisonnement si nécessaire. □ Laissez tiédir et ajoutez alors la crème légèrement fouettée.

Asperges sauce mousseline

Pour 6 personnes :
2,500 à 3 kg d'asperges
Sauce mousseline :
250 g de beurre
sel, poivre
3 œufs

1 citron
1 cuillerée à soupe
de vinaigre
100 g de crème fraîche
Préparation : 20 mn
Cuisson : 25 à 35 mn

Épluchez les asperges en les débarrassant de leur pellicule plus ou moins épaisse suivant leur fraîcheur, jusqu'à ce qu'apparaisse la chair tendre. □ Gratter des asperges n'a pas de sens. □ Une asperge bien épluchée peut être dégustée entière ou presque. □ Divisez-les en bottes de 500 g environ et ficelez-les. □ Mettez-les dans une grande quantité d'eau bouillante salée. □ Dès l'ébullition installée, baissez le feu pour maintenir l'eau frémissante, vérifiez la cuisson en enfonçant une pointe de couteau dans le milieu d'une grosse asperge. □ Retirez-les aussitôt de l'eau, posez-les sur une serviette pliée dans le plat de service. □ Pendant ce temps, préparez la sauce : dans une casserole, mélangez les jaunes d'œufs, le vinaigre, le sel et le poivre. □ Posez la casserole sur un bain-marie et ajoutez peu à peu le beurre par fractions en battant au fouet jusqu'à obtention d'une mayonnaise. □ Ajoutez le jus de citron. □ Fouettez la crème fraîche en chantilly et incorporez-la hors du feu à la sauce hollandaise. La sauce se sert tiède comme les asperges.

Aubergines à la catalane

Pour 6 personnes :
4 aubergines, 3 tomates
1 ou 2 gousses d'ail
1 cuill. à soupe de chapelure
3 cuill. à soupe de persil haché

sel, poivre
huile à friture, huile d'olive
Préparation : 30 minutes
une demi-heure à l'avance
Cuisson : 45 minutes

Choisissez des aubergines longues et fermes, coupez-les en tranches dans le sens de la longueur sans les séparer du pied. □ Saupoudrez chaque tranche d'un peu de sel, faites-les dégorger 20 à 30 minutes (surtout en arrière-saison lorsqu'elles sont un peu âcres). □ Rincez-les, épongez-les. □ Mettez-les une à une dans l'huile de friture chaude, juste pour les faire dorer, sans chercher à les cuire, en écartant les tranches en éventail. □ Égouttez-les. Disposez-les dans le plat de service allant au four, en les ouvrant. Poivrez. □ Garnissez des 3 tomates partagées en deux et épépinées, largement saupoudrées du hachis d'ail et de persil mélangé à la chapelure, salé et poivré. □ Arrosez d'une bonne cuillerée à soupe d'huile d'olive. □ Mettez au four chaud pendant 30 minutes. □ Quelques minutes avant de servir, saupoudrez tout le plat du reste du hachis. Cette jolie et savoureuse présentation des aubergines constitue un plat de légumes à servir seul ou en accompagnement de grillades ou de rôtis.

Aubergines à la ménagère

Pour 6 personnes :
5 aubergines moyennes
1 kg de tomates
2 gousses d'ail
1 petite feuille
de laurier
1 pincée de thym
1 cuillerée à soupe
de persil haché
100 g de gruyère râpé
6 œufs frits
250 g de riz
sel, poivre
huile d'olive
Préparation : 30 mn
Cuisson : 40 mn

Épluchez les aubergines, coupez-les en rondelles pas trop minces, saupoudrez-les de sel, laissez dégorger une demi-heure, essuyez-les. □ Faites-les cuire dans la poêle à l'huile d'olive sans laisser trop prendre couleur. Retirez-les dans une passoire pour qu'elles s'égouttent. □ Dans la poêle, avec l'huile égouttée, mettez les 2 gousses d'ail à feu très modéré, faites-les dorer pour qu'elles parfument l'huile, retirez-les. □ A leur place, mettez la chair des tomates pelées, épépinées, le thym, le laurier émietté. □ Faites cuire 20 minutes jusqu'à ce qu'elles soient en crème. Ajoutez le persil, sel, poivre. □ Versez-en la moitié dans le plat à gratin. Disposez les rondelles d'aubergines bien réparties dessus, saupoudrez de la moitié du fromage, recouvrez du reste des tomates et du reste du fromage. □ Mettez au four chaud 230º (7 au thermostat) jusqu'à ce que tout soit réchauffé et le fromage blond. Servez garni d'œufs frits, accompagné de riz créole. Ce plat est à lui seul tout un repas.

Aubergines fourrées

Pour 6 personnes :
3 aubergines
3 tomates
2 poivrons
200 g de tomme fraîche
4 gros oignons

3 gousses d'ail
1 bouquet de persil
huile pour friture
huile d'olive
Préparation : 30 mn
Cuisson : 45 mn

Ouvrez les poivrons dans la longueur, ôtez les graines. Coupez-les en lanières. Faites revenir tout doucement à la poêle dans 2 cuillerées à soupe d'huile d'olive. Otez-les de la poêle et laissez-les en attente. □ Dans la même poêle, faites fondre doucement les oignons émincés, mettez-les de côté. □ Essuyez les aubergines, ne les épluchez pas, mais coupez-les en tranches dans le sens de la longueur sans aller jusqu'au bout. Saupoudrez-les d'un peu de sel et faites-les dégorger 30 minutes. □ Épongez-les et plongez-les une par une dans la friture chaude, en écartant bien les tranches. Laissez-les dorer, égouttez-les, épongez-les. Fourrez les tranches d'aubergines de rondelles de tomates, de tranches de tomme fraîche et de lamelles de poivrons. □ Dans le fond d'un plat rond allant au four, disposez les oignons, posez dessus les aubergines fourrées, arrosez d'une cuillerée à soupe d'huile d'olive et saupoudrez d'un hachis d'ail et de persil. Faites cuire à four chaud (230º, 7 au thermostat) pendant 35 minutes environ.

Beignets aux épinards

Pour 6 personnes :
1 livre de pâte à pain
1 livre d'épinards
50 g de pignons
1 chipolata
2 cuillerées à soupe

d'huile d'olive
sel, poivre, muscade
farine, bassine de friture
Préparation : 45 mn
Cuisson : 3 à 4 mn
par fournée

Demandez la pâte à pain à votre boulanger. En principe il faut le prévenir la veille. Laissez-la lever dans un endroit tiède. □ Pendant ce temps, enlevez les côtes des épinards, lavez-les, égouttez-les, épongez-les, coupez-les en lanières. □ Faites-les fondre à la poêle dans l'huile chaude, sur feu assez vif, remuez, ne laissez pas rissoler. □ Dès qu'ils sont tendres, retirez-les à l'écumoire. A leur place, faites revenir 1 ou 2 minutes les pignons grossièrement hachés ainsi que la chipolata que vous aurez épluchée et émiettée. □ Mélangez-les aux épinards, salez, poivrez, muscadez, laissez refroidir. □ Étendez la pâte au rouleau sur la table farinée, sur une épaisseur de 3 à 4 millimètres. Découpez-la en disques de 10 centimètres de diamètre, ovalisez-les au rouleau. □ Posez une cuillerée à soupe d'épinards au centre, mouillez l'un des bords d'un peu d'eau, rabattez la pâte en chausson, appuyez pour souder les bords, modelez-les pour en faire presque des boules. □ Jetez-les dans la friture chaude, non fumante, faites-les dorer.

Ces beignets sont aussi bons froids que chauds. Ils sont très appréciés à l'apéritif et en pique-nique.

Beignets d'aubergine

Pour 6 personnes :
6 aubergines, sel
Pâte à beignets :
125 g de farine
2 œufs entiers

un blanc d'œuf
1/4 de litre de lait
Bassine de friture
Préparation : 1 heure
Cuisson : 30 minutes

Choisissez pour les faire en beignets des aubergines longues et fermes pour qu'elles aient le moins de graines possible. Sinon n'employez que la chair, abandonnez les parties molles qui recèlent les graines. □ Coupez-les en rondelles d'un demi-centimètre d'épaisseur, mettez-les au sel 20 minutes pour les faire dégorger. Épongez-les. □ Préparez la pâte 1 heure d'avance. Au moment de l'emploi, elle doit napper les aubergines, au besoin allégez-la. □ Faites chauffer l'huile jusqu'à ce qu'elle commence à fumer, mettez les tranches d'aubergine au fur et à mesure que vous les aurez trempées dans la pâte. A mesure qu'elles dorent des deux côtés, retirez-les sur papier absorbant. □ Puis étendez-les dans la lèchefrite du four chauffé et ouvert pour qu'elles restent chaudes. Elles peuvent attendre ainsi le moment de servir sans ramollir. Servez avec des viandes rôties ou grillées, voire avec une salade de saison légèrement aillée. Si vous avez vidé le centre des aubergines, coupez-les en escalopes fines.

11

Beignets de courgette

Pour 6 personnes :
1 kg de courgettes
Pâte à beignets :
200 g de farine
2 œufs entiers
2 blancs d'œufs
5 g de sel

1/2 litre de lait environ
1 bassine d'huile
à friture
Préparation : 25 minutes
1 heure à l'avance
Cuisson : 5 minutes par fournée
de beignets

Commencez par faire la pâte qui doit reposer 1 heure.
Mettez la farine dans une terrine. □ Creusez une fontaine,
mettez les œufs, le sel, délayez au fouet en ajoutant le
lait petit à petit. □ Dès que la pâte est lisse et encore
épaisse, n'ajoutez plus de lait. □ Couvrez-la, mettez au
repos.
Épluchez les courgettes, coupez-les en rondelles de 3 ou
4 millimètres d'épaisseur. □ Étendez-les dans un torchon,
enroulez-le serré pour éponger leur eau.
Au moment de faire les beignets, battez les blancs en
neige ferme, ajoutez-les à la pâte en soulevant la masse
pour les incorporer sans les briser, ajoutez du lait si la
pâte est trop épaisse : elle doit napper une rondelle de
courgette et retomber en gouttes lourdes.
Une à une, trempez les rondelles de courgettes dans la
pâte puis dans la bassine d'huile chaude non fumante. □
Retirez-les dès qu'elles sont dorées sans vous préoccu-
per de leur cuisson profonde. □ Faites égoutter sur papier
absorbant puis disposez-les sur la tôle du four chaud
porte entrouverte où elles attendront en finissant de cuire
de passer à table sans toutefois foncer de couleur.

Bohémienne

Pour 6 personnes :
1 kg d'aubergines
1 kg de tomates
1 verre d'huile d'olive
8 anchois allongés à l'huile
1 bouquet de persil

3 gousses d'ail
50 g de chapelure blanche
1 cuillerée à soupe de farine
1/2 verre de lait
Préparation : 30 mn
Cuisson : 45 mn

Épluchez les aubergines, coupez-les en dés, mettez-les dans une passoire, saupoudrez-les de sel. Laissez-les dégorger au moins 30 minutes. Épluchez les tomates, ôtez les graines, coupez-les en quartiers. Émincez les oignons. □ Dans la cocotte, faites fondre les oignons à l'huile d'olive, ajoutez les aubergines épongées et les tomates et 1 gousse d'ail entière. Laissez cuire doucement à découvert en remuant souvent à la fourchette et en écrasant les légumes. □ Dans un bol, pilez les anchois avec un peu d'huile, ajoutez la cuillerée de farine et le lait, pour obtenir un genre de sauce. Ajoutez-la à la ratatouille, mélangez parfaitement. Hachez le reste d'ail et le persil, ajoutez-leur la chapelure. □ Versez ce mélange sur la bohémienne et passez au four bien chaud (8 au thermostat) pour faire gratiner.

Brocolis au gratin

Pour 6 personnes :
2 ou 3 bottes de
feuilles de brocolis
ou 3 choux avec leur pomme
50 g de beurre
2 cuillerées à soupe
de farine

1/4 de litre de lait
150 g de crème
100 g de gruyère râpé
sel, poivre, muscade
**Préparation
et précuisson : 40 mn**
Cuisson : 20 à 30 mn

Retirez les côtes dures et les trognons des brocolis, faites-les cuire à l'eau bouillante salée jusqu'à ce qu'ils ne croquent plus sous la dent. □ Passez-les aussitôt à l'eau fraîche. Pressez-les pour extraire toute l'eau, hachez-les grossièrement au couteau. □ Dans une poêle, mettez une bonne cuillerée de beurre, faites sauter les choux pour les débarrasser de leur excès d'eau seulement. Salez, poivrez. □ Avec le reste du beurre et deux bonnes cuillerées de farine, faites une béchamel, d'abord mouillée au lait, puis, lorsqu'elle est très épaisse, allégée à la crème. □ Salez, poivrez, muscadez. Ajoutez la moitié du fromage râpé. □ Disposez les brocolis dans le plat à gratin, couvrez avec la béchamel en la faisant pénétrer à la fourchette, saupoudrez du reste de fromage. □ Mettez au four chaleur moyenne, 200º à 220º, faites gratiner sans hâte pour que les éléments s'amalgament et échangent leurs arômes.

14

Brocolis niçois

Pour 6 personnes :
3 choux brocolis
beurre fondu
vinaigrette

sauce blanche
citron, sel, poivre
Préparation : 10 mn
Cuisson : 10 mn

Les brocolis niçois, qu'il ne faut pas confondre avec les brocolis italiens tout en feuilles vertes, sont de petits choux-fleurs verts, tendres, savoureux, cuits en quelques minutes. □ Ils sont si fragiles qu'il ne faut pas les détacher de leurs trognons ni des premières feuilles qui les entourent sous peine de les voir se disperser à la cuisson. □ Jetez les brocolis dans l'eau bouillante salée, ébullition reprise comptez 10 minutes. Sortez-les de l'eau. Faites-les égoutter. □ Servez-les avec les trois sauces que les convives choisiront. Beurre fondu chaud et jus de citron, sel, poivre. Vinaigrette à l'huile d'olive ou sauce blanche chaude. □ Sauce blanche : 40 g de farine, 50 g de beurre, 1,5 dl de lait bouilli, 1 dl de crème, sel, poivre. □ Faites un roux avec le beurre et la farine, cuisez quelques minutes en remuant avant d'ajouter le lait. Faites épaissir, allégez avec la crème, salez, poivrez.

Cardons à la moelle

Pour 6 personnes :
2 pieds de cardons assez gros
2 cuillerées à soupe de farine
1 citron
60 g de beurre

150 g de moelle de bœuf
sel, poivre
fines herbes hachées
Préparation : 30 mn
Cuisson : 45 mn à 1 h

Épluchez les cardons en ne gardant que les côtes, comme vous feriez pour du céleri. Enlevez les fils avant de les fractionner, éliminez les parties creuses. □ Au fur et à mesure, jetez les morceaux dans l'eau citronnée. Les cardons comme les artichauts noircissent très vite. □ Délayez la farine à l'eau froide, jetez-la dans la marmite où 3 litres d'eau salée vont bientôt bouillir. Remuez jusqu'à ébullition. □ Ajoutez les cardons, couvrez, faites cuire à feu modéré (l'eau farinée se sauve comme du lait) jusqu'à ce que les cardons soient cuits, mais encore légèrement croquants. □ Égouttez-les, mettez-les avec le beurre dans la poêle et finissez la cuisson sans laisser prendre couleur. □ Dès que l'évaporation de l'excès d'eau est faite, salez, poivrez. Couvrez. □ Coupez la moelle en rondelles de presque un centimètre d'épaisseur, faites-la pocher dans très peu d'eau très salée et poivrée à peine frémissante. Lorsque les morceaux sont transparents, arrêtez la cuisson. □ Pour servir, dispersez la moelle chaude sur les cardons dans la plat de service, saupoudrez des herbes hachées. Ce délicat légume peut être dégusté seul ou avec tous les rôtis dont la sauce ajoutera à sa saveur. Ne le faites pas trop cuire.

16

Carottes à la crème

Pour 6 personnes :
2 kg de carottes
80 g de beurre
150 g de crème épaisse

sel, poivre
persil ou cerfeuil
Préparation : 20 mn
Cuisson : 1 h

En épluchant les carottes, modelez-les toutes de la même forme. Elles seront plus présentables. □ Dans une casserole assez large, mettez les carottes, juste assez d'eau pour les recouvrir, le beurre, sel, poivre. □ A découvert et à feu assez vif, faites-les cuire jusqu'à ce que l'eau soit entièrement évaporée et qu'il ne reste que le beurre. Les carottes sont généralement cuites à ce moment-là. □ Ajoutez alors la crème, baissez le feu, couvrez, faites mijoter à très petit feu. □ Au moment de servir, si la crème est encore liquide, activez le feu pour qu'elle réduise et enrobe les carottes. Servez saupoudré de persil ou de cerfeuil haché.

Les carottes ainsi préparées sont un légume très délicat accompagnant les viandes rôties, braisées ou grillées.

17

Carottes à la sauge

Pour 6 personnes :
2 kg de carottes
600 g de petits pois surgelés
3 oignons, 1 bouquet garni
10 à 12 petites feuilles
de sauge sèche

3 cuillerées à soupe
de graisse d'oie ou de saindoux
1 cuillerée à café de sucre
sel, poivre
Préparation : 20 mn
Cuisson : 30 à 40 mn

Coupez les carottes en gros dés. Faites-les revenir doucement dans la graisse d'oie avec les oignons, le bouquet et les feuilles de sauge pendant 20 minutes environ, puis ajoutez les pois encore gelés. □ Salez, poivrez, sucrez d'une cuillerée à café rase de sucre semoule, couvrez pour terminer la cuisson.

Ces légumes accompagnent les rôtis de porc et les grillades et sont aussi très appréciés avec le veau et le mouton.

Carottes en fricassée

Pour 6 personnes :
1,500 kg de carottes
500 g d'oignons
1 bouquet garni
3 cuillerées à soupe de

graisse d'oie ou de saindoux
250 g de lard demi-sel
sel, poivre, sucre
Préparation : 30 mn
Cuisson : 1 h

Épluchez et coupez les carottes en rondelles. Choisissez des oignons plutôt petits pour qu'ils ne se défassent pas. □ Dans une cocotte, mettez la graisse. Quand elle est chaude, ajoutez tous les légumes et le bouquet. □ Faites revenir en remuant jusqu'à ce que tout soit chaud, baissez le feu et continuez à cuire sans couvercle pendant 25 à 30 minutes le temps de faire évaporer la plus grande partie d'humidité. □ Coupez le lard en tout petits lardons. Faites-les blanchir 5 minutes à l'eau bouillante. □ Épongez-les. Ajoutez-les aux légumes. Salez, poivrez, ajoutez 1 cuillerée à café de sucre, couvrez. □ Baissez le feu au maximum pour terminer la cuisson à l'étouffée, remuez de temps en temps.

Carottes glacées

Pour 6 personnes :
2 kg de carottes
125 g de beurre
2 cuillerées à

soupe de sucre
sel, poivre
Préparation : 15 minutes
Cuisson : 30 à 40 minutes

Si les carottes sont grosses, coupez-les en gros tronçons après les avoir grattées et lavées. □ Dans une casserole à fond large et épais, une sauteuse de préférence, mettez les carottes, mouillez avec de l'eau froide recouvrant à peine les carottes, ajoutez la moitié du beurre. □ Faites partir à grand feu sans couvrir en les remuant sans les casser, une ou deux fois. □ Dès que l'eau est évaporée, ajoutez le reste du beurre, salez, poivrez, saupoudrez avec deux cuillerées à soupe rases de sucre. □ Faites sauter et à petit feu, toujours sans couvrir, faites glacer les carottes jusqu'à ce qu'elles soient enduites d'un pâle caramel gras et brillant. Les carottes ainsi préparées accompagnent toutes les viandes grillées ou rôties, comme la volaille. En hiver, faites blanchir les carottes à grande eau salée et, lorsqu'elles sont à moitié cuites, mettez-les dans le beurre et le sucre comme il est dit plus haut.

Céleri-rave en purée

Pour 6 personnes :
3 gros pieds de céleri-rave
1 kg de pommes de terre
100 g de beurre

2 citrons, farine, lait
sel, poivre, muscade
Préparation : 20 minutes
Cuisson : 40 minutes.

Épluchez les pieds de céleri, citronnez-les au fur et à mesure pour qu'ils ne noircissent pas. □ Lavez-les à l'eau citronnée. Coupez-les en rondelles. Pesez-les. □ Ajoutez 250 g de pommes de terre épluchées par kilo de céleri. □ Jetez céleri et pommes de terre dans 3 litres d'eau bouillante salée dans laquelle vous aurez délayé deux cuillerées à soupe de farine et ajouté le jus d'un demi-citron. □ Faites cuire, suivant la saison, de 30 à 40 minutes jusqu'à ce que le céleri s'écrase sous la fourchette. □ Égouttez, passez à la moulinette. □ Mouillez avec du lait ou faites dessécher sur le feu jusqu'à bonne consistance, poivrez et muscadez, ajoutez le beurre. Cette délicieuse purée est l'accompagnement de tous les rôtis et plus particulièrement de la vénerie.

Céleri provençale

Pour 6 personnes :
3 gros pieds de céleri
en branches, ou 6 petits
200 g de lard demi-sel
6 oignons moyens
1 verre de vin blanc
4 carottes

1 gousse d'ail
1 feuille de laurier
sel, poivre
2 cuillerées à soupe
de coulis de tomates
Préparation : 20 minutes
Cuisson : 1 h à 1 h 30

Coupez les pieds à 15 ou 18 centimètres. Supprimez les branches extérieures trop filandreuses, enlevez les fils des autres, parez la racine en pyramide. □ Blanchissez les céleris à l'eau bouillante salée en 10 minutes d'ébullition. □ Égouttez-les. Partagez-les en deux, salez et poivrez chaque moitié, réunissez-les, ficelez-les. □ Dans une cocotte, mettez le lard coupé en fins lardons. □ Dès qu'il lâche sa graisse, ajoutez les oignons, l'ail, les carottes coupées en rondelles, le laurier. □ Faites revenir sans colorer. Ajoutez les céleris, dorez-les légèrement tout autour. □ Couvrez, laissez suer 10 minutes, puis mouillez avec le vin blanc, après avoir délayé le coulis dans 1/2 verre d'eau. □ Couvrez, laissez mijoter 1 heure à 1 h 30, suivant l'époque où vous achetez les céleris, en les retournant une ou deux fois. □ Pour servir, déficelez les pieds, ouvrez-les, disposez les garnitures autour. A grands bouillons, faites réduire le jus de cuisson à un bon verre. Nappez-en les céleris. Ainsi préparés, les céleris se présentent seuls ou en accompagnement d'une pièce de boucherie rôtie.

22

Cèpes à la parisienne

Pour 6 personnes :
2 kg de cèpes
1 citron
1 verre d'huile
3 cuillerées à café
d'échalotes hachées

ou 2 gousses d'ail
100 g de pain de mie
1 cuillerée à soupe de persil
100 g de beurre
Préparation : 30 minutes
Cuisson : 30 minutes

Lavez les cèpes, coupez le bout terreux des queues et détachez-les en les coupant au ras des chapeaux.
Les queues des cèpes sont souvent véreuses. A moins qu'elles ne soient entièrement ravagées par les vers, ne les jetez pas. □ Fendez-les en quatre en longueur, faites-les tremper dans de l'eau fraîche fortement vinaigrée.
Dans une grande casserole, mettez une cuillerée d'huile, le jus du citron, les cèpes entiers ou coupés en gros morceaux et les queues. □ Faites-leur jeter leur eau en les remuant. Lorsqu'ils baignent dans l'eau et que leur forme est réduite, jetez-les dans une passoire. □ Épongez-les, coupez en morceaux réguliers, réservez le tiers des queues.
Dans une poêle assez grande, faites chauffer l'huile. □ Jetez-y les cèpes, salez, poivrez, faites rissoler en remuant. □ Hachez les queues réservées, avec les échalotes ou l'ail et la mie de pain desséchée au four. □ Quelques minutes avant de servir, ajoutez ce hachis, faites rapidement sauter ; ne saupoudrez de persil qu'au dernier moment dans le plat de service.

Cèpes farcis

Pour 6 personnes :
12 cèpes moyens
250 g de jambon de Bayonne
3 échalotes
1 gousse d'ail
1 cuillerée à soupe
de persil haché
2 cuillerées à soupe
de mie de pain rassie râpée

2 dl de vin blanc
2 cuillerées à soupe
d'huile d'olive
ou de graisse d'oie
1 citron
chapelure
sel, poivre
Préparation : 30 mn
Cuisson : 30 à 40 mn

Séparez les queues des cèpes et enlevez les tuyaux des chapeaux. □ Enduisez chaque chapeau d'huile d'olive, salez et poivrez, laissez macérer pendant que se prépare la farce. □ Hachez finement le jambon avec les queues, les échalotes, l'ail et le persil, ajoutez la mie de pain finement râpée, salez peu, le jambon étant salé, poivrez. □ Faites revenir rapidement ce hachis dans la graisse d'oie. □ Dès qu'il est sur le point de rissoler, mouillez avec la moitié du vin, laissez cuire à très petit feu, pendant quelques minutes. □ Sous le gril du four, faites cuire les chapeaux présentés côté creux. Dès qu'une lame de couteau les traverse, retirez-les, posez-les dans un plat à gratin. □ Remplissez-les de farce toute chaude, mouillez avec le reste du vin, pressez quelques gouttes de jus de citron, saupoudrez de chapelure, ajoutez une noisette de graisse d'oie. □ Mettez au four chaud 200° (6 au thermostat) jusqu'à cuisson complète des chapeaux, environ 10 minutes. Servez dans le plat de cuisson.

Champignons à la hongroise

Pour 6 personnes :
750 g de champignons de Paris
2 oignons moyens
2 poivrons verts
3 tomates
4 cuillerées à soupe de crème
1 cuillerée à soupe
de paprika doux
1 cuillerée à café de fécule
1 citron
50 g de beurre
sel, poivre
Préparation : 30 minutes
Cuisson : 25 à 30 minutes

Mettez les poivrons au four chaud, dès qu'ils ramollissent enveloppez-les dans un torchon mouillé pendant 5 minutes, puis débarrassez-les de leur peau. Coupez-les en dés. □ Coupez également la chair des tomates en dés après les avoir pelées et épépinées. □ Hachez fin les oignons. Faites chauffer le beurre dans une poêle pour faire fondre les oignons sans leur laisser prendre couleur. □ Coupez le bout terreux des champignons, lavez-les à l'eau citronnée. Coupez-les en 4, citronnez-les pour les garder blancs, ajoutez-les aux oignons. Faites cuire rapidement jusqu'à évaporation de leur eau. □ Ajoutez les poivrons, saupoudrez de paprika, laissez cuire 5 minutes, salez, poivrez, ajoutez la chair des tomates. Laissez cuire en remuant 3 à 4 minutes, puis arrosez de crème dans laquelle vous aurez délayé la fécule. Faites épaissir, servez.

Champignons farcis

Pour 6 personnes :
12 gros champignons
6 champignons moyens
2 tranches de jambon (fines)
60 g de gruyère râpé
1/2 litre de lait

200 g de crème fraîche
125 g de beure
2 œufs moyens, 1 citron
farine, sel, poivre, muscade
Préparation : 40 minutes
Cuisson : 25 minutes

Détachez les têtes des gros champignons, mettez-les entières dans une poêle avec 1 cuillerée à soupe de beurre. A feu très modéré, faites-les cuire sans les casser. □ Hachez les queues et les autres champignons mouillés de jus de citron pour éviter qu'ils noircissent. □ Faites-les fondre dans une cuillerée à soupe de beurre jusqu'à ce qu'ils aient évaporé leur eau. □ Hachez le jambon, ajoutez-le aux champignons, laissez en attente. □ Faites 1/2 litre de béchamel avec la crème et le lait. □ Ajoutez le jaune des œufs, salez, poivrez, muscadez. □ Prélevez la moitié de la béchamel, ajoutez-la au hachis avec une bonne pincée de gruyère râpé. Rectifiez l'assaisonnement. □ Remplissez les têtes des champignons en formant un dôme. Étendez le reste au fond du plat allant au four et à table. □ Posez les champignons farcis. □ Nappez du reste de béchamel enrichi du reste de fromage et allégé de lait. □ Mettez au four chaud pour faire prendre couleur et réchauffer.

Champignons sautés

Pour 6 personnes :
1 kg de champignons
125 g de beurre
3 cuillerées à soupe
de persil haché

1 cuillerée à café
d'ail écrasé (facultatif)
sel, poivre, 2 citrons
Préparation : **10 minutes**
Cuisson : **30 à 40 minutes**

Choisissez des champignons bien blancs au chapeau encore fermé. □ Petits, gardez-les entiers ; gros, coupez-les en 4 ou en 6 mais pas en lamelles.
Coupez les bouts terreux des queues des champignons, jetez-les au fur et à mesure entiers dans de l'eau citronnée. □ Lavez-les deux fois. □ Égouttez-les, épongez-les. □ Entiers ou coupés, mettez-les à la poêle dans le tiers du beurre et le jus d'un demi-citron. □ Faites cuire à feu moyen à découvert en remuant souvent jusqu'à ce que l'eau soit évaporée et que les champignons ne reposent plus que dans du beurre. □ Ajoutez le reste du beurre, salez, poivrez, laissez rissoler à tout petit feu jusqu'à ce que les champignons soient cuits sans que le beurre blondisse. □ Au moment de servir, saupoudrez de persil aillé ou non selon votre goût.
A la saison où les mousserons poussent dans les champs, où les champignons de Paris sont abondants, servis en légumes, ils sont un régal peu coûteux.

Chou en purée

Pour 6 personnes :
1 gros chou
ou 2 moyens
2 oignons
un bouquet garni
60 g de beurre

2 cuillerées à soupe
de farine
200 g de crème
sel, poivre, muscade
Préparation : 30 mn
Cuisson : 30 mn

Enlevez les feuilles dures et trop vertes du chou. Coupez-le en 4. Enlevez le trognon jusqu'au cœur. □ Jetez les morceaux entiers dans une grande quantité d'eau bouillante salée. L'ébullition reprise, laissez bouillir 5 minutes. □ Égouttez le chou, séparez les feuilles, puis remettez-le dans une casserole avec les oignons et le bouquet. Couvrez d'eau, faites cuire jusqu'à ce que les feuilles soient tendres. □ Égouttez à nouveau, pressez pour essorer à fond. Passez à la moulinette grille fine. Laissez encore égoutter pendant que vous préparez la liaison. □ Avec le beurre et la farine, faites un roux à feu modéré. Dès que le mélange est parfait, ajoutez la crème. Faites bouillir en remuant. Vous aurez une bouillie très épaisse. □ Ajoutez alors le chou en purée, mélangez bien. Salez, poivrez, muscadez. □ L'assaisonnement doit être assez relevé. Sur feu doux, faites chauffer jusqu'à l'ébullition puis gardez au chaud jusqu'au service.

Cette préparation a beaucoup de finesse. Elle peut être servie avec les viandes grasses rôties comme le porc, l'oie, le canard ainsi que le faisan et des pièces de vénerie.

Chou-fleur

Pour 6 personnes :
2 choux-fleurs
moyens
1 cuillerée
à soupe de farine
sel, 4 litres d'eau
Garnitures au choix :
beurre : 100 g
persil haché :

2 cuillerées à soupe
chapelure : 50 g
vinaigrette
à la moutarde :
1/4 de litre
4 parties huile
1 partie vinaigre
Préparation : 10 minutes
Cuisson : 30 minutes

Séparez les choux par bouquets. □ Enlevez la peau épaisse du pied de chacun. □ Faites bouillir l'eau avec deux cuillerées à café rases de sel, ajoutez le chou-fleur et la farine délayée dans un peu d'eau froide. □ Amenez rapidement à ébullition et, aussitôt, baissez le feu pour maintenir l'eau frissonnante sans couvercle.
Dès qu'une lame de couteau traverse facilement un bouquet, sortez du feu, enlevez l'eau, couvrez pour garder chaud dans la propre vapeur du chou, que la farine a gardé bien blanc. □ Servez nature, reconstitué sur le plat de service, saupoudré de persil haché, accompagné d'une saucière de beurre fondu au bain-marie. □ Vous pouvez aussi faire chauffer le beurre et la chapelure à la poêle et en arroser le chou, ou le servir accompagné de vinaigrette.

Chou-fleur gratiné

Pour 6 personnes :
1 gros chou-fleur
250 g de crème
2 cuillerées à soupe
de farine

60 g de beurre
150 g de gruyère râpé
sel, poivre, muscade
Préparation : 15 mn
Cuisson : 50 mn

Nettoyez le chou-fleur en le détachant par bouquets. □ Épluchez le pied de chaque bouquet qui est recouvert d'une pellicule fibreuse. □ Faites-le cuire non couvert à grande eau bouillante salée. Dès que l'ébullition reprend, baissez le feu pour que le chou cuise dans une eau à peine frissonnante. C'est ainsi que sa cuisson ne répand pas d'odeur désagréable. □ Vérifiez la cuisson à la lame de couteau. Ne le laissez pas trop cuire. Aussitôt rafraîchissez-le sous l'eau froide, égouttez à fond. □ Avec les 2/3 de beurre, la farine, la crème et un peu d'eau, faites une béchamel normale, ni trop épaisse ni claire, ajoutez le gruyère râpé, gardez-en 2 cuillerées à soupe. Salez, poivrez, muscadez. □ Disposez les bouquets de chou-fleur dans le plat sans les écraser, nappez-les avec la béchamel en la faisant couler dans les creux. □ Saupoudrez la surface avec le fromage réservé, parsemez de quelques copeaux de beurre, mettez au four chaleur moyenne 200º (5-6 au thermostat) jusqu'à ce que la surface soit d'un beau doré. □ Ce chou-fleur ainsi gratiné n'est pas pâteux. Il peut être servi aussi bien en accompagnement de viandes rôties, veau, porc, mouton, que comme entrée.

Choux de Bruxelles

Pour 6 personnes :
1 kg de choux de Bruxelles
2 cuillerées à soupe
de graisse d'oie

noix muscade
sel, poivre
Préparation : 20 mn
Cuisson : 25 à 30 mn

Choisissez des choux plutôt petits, bien serrés et d'égale grosseur. Enlevez les feuilles jaunes, rognez le trognon, lavez-les à grande eau. □ Jetez-les dans 4 litres d'eau bouillante salée. Ébullition reprise, maintenez-la sans tumulte, casserole ouverte, pendant 12 à 15 minutes. □ Égouttez-les à fond, faites-les sauter dans la graisse d'oie chaude, sur feu assez vif jusqu'à ce que l'excès d'eau soit évaporé. □ Baissez ensuite le feu pour les faire à peine rissoler, 10 minutes environ. Poivrez, muscadez. Ne les écrasez pas en les remuant, déplacez-les dans la poêle en les faisant sauter.

Servez avec du bœuf, du veau, du porc, de l'oie ou du canard braisé.

31

Choux de Bruxelles fricassés

Pour 6 personnes :
1 kg de choux de Bruxelles
500 g de carottes
300 g d'oignons
3 ou 4 cuillerées à soupe

de graisse d'oie
sel, poivre, sucre
laurier, thym
Préparation : 30 mn
Cuisson : 1 h 15 à 1 h 30

Faites blanchir les choux à l'eau bouillante salée pendant 8 à 10 minutes d'ébullition. Retirez-les, égouttez-les. □ Coupez les carottes en assez gros tronçons ou laissez-les entières si elles sont petites. □ Dans la cocotte, faites blondir les oignons avec une cuillerée à soupe de graisse d'oie. Lorsqu'ils commencent à être transparents, saupoudrez-les d'une cuillerée à café de sucre, à peine dorés retirez-les. □ Mettez les carottes à leur place, cuisez-les jusqu'à ce que la coloration s'amorce, retirez-les. □ Avec la graisse qui reste, faites sauter les choux quelques minutes. □ Ajoutez les légumes réservés, une feuille de laurier, une pincée de thym, faites cuire sans couvercle jusqu'à ce que la grosse évaporation ralentisse. Remuez de temps en temps avec précaution pour ne pas écraser les choux et les oignons. □ Salez, poivrez, couvrez et faites mitonner jusqu'à ce que les carottes soient cuites.

Ce plat de légumes peu coûteux est excellent réchauffé.

Cœurs de céleri gratinés

Pour 6 personnes :
6 pieds de céleri
100 g de beurre
2 cuillerées à soupe
d'emmenthal râpé

6 cuillerées à
soupe de bouillon
sel, poivre
Préparation : 20 minutes
Cuisson : 50 minutes

Coupez les pieds de céleri à bonne longueur pour conserver toutes les parties tendres. □ Enlevez les côtes abîmées, taillez la racine. Lavez-les. □ Faites-les blanchir à l'eau bouillante salée pendant 20 à 25 minutes après la reprise de l'ébullition. Égouttez-les. □ Coupez-les en deux en longueur, disposez-les dans un plat de service allant au four. □ Mouillez avec le bouillon ou de l'eau de cuisson, salez, poivrez, saupoudré très légèrement de fromage râpé, parsemez de tout le beurre divisé en morceaux. □ Mettez au four chauffé 15 minutes d'avance, à une chaleur moyenne (6 au thermostat). □ Laissez évaporer tout le liquide, jusqu'à ce que le beurre commence à rissoler. Le fromage à ce moment est en train de blondir. S'il prenait couleur trop tôt, il faudrait couvrir d'une feuille d'aluminium.

Les céleris ainsi préparés sont un plat de légumes à servir seuls ou en accompagnement d'une pièce de viande.

33

Concombres glacés

Pour 6 personnes :
3 concombres moyens
50 g de beurre
125 g de crème

1 jaune d'œuf
sel, poivre
Préparation : 20 mn
Cuisson : 35 à 40 mn

Épluchez les concombres entiers. □ Séparez-les en quatre en longueur, faites tomber toutes les graines, coupez la chair en dés. □ Épongez-les, versez dans un plat à gratin, salez, poivrez, parsemez avec le beurre fractionné. □ Mettez au four chaud 220º (7 au thermostat) pendant 30 minutes environ. Vérifiez la cuisson et versez la crème enrichie du jaune d'œuf. □ Passez quelques minutes sous le gril du four pour glacer. Ne laissez pas bouillir après avoir ajouté la crème.

Concombres sautés

Pour 6 personnes :
5 concombres moyens
100 g de beurre

Sel, poivre, fines herbes
Préparation : 30 mn
Cuisson : 45 mn à 1 h

Épluchez les concombres entiers au couteau économique, puis coupez-les en quatre en longueur. Faites tomber l'angle des graines et détaillez le reste en gros dés. □ Jetez-les dans une grande quantité d'eau salée bouillante. Ébullition reprise, cuisez 3 à 5 minutes suivant la grosseur des morceaux. Égouttez, rafraîchissez à l'eau froide, égouttez à fond. □ Faites fondre le beurre dans une poêle ou une sauteuse, ajoutez les concombres et, à feu pas trop vif, faites-les cuire sans prendre couleur. □ En cours de cuisson, salez, poivrez. remuez-les avec précaution. Dès qu'ils s'écrasent sous la fourchette, ils sont cuits. Servez-les abondamment saupoudrés de fines herbes hachées.
Ainsi préparés, les concombres sont un délicat légume accompagnant presque toutes les préparations de viande, gibier compris.

35

Côtes de bettes gratinées

Pour 6 personnes :
2 pieds de bettes
1 citron
100 g de gruyère râpé
2 cuillerées à soupe
de persil haché

200 g de crème épaisse
2 jaunes d'œufs
sel, poivre, muscade
50 g de beurre
Préparation : 40 mn
Cuisson au four : 30 mn

Détachez les côtes des feuilles. Réservez le vert qui fait de savoureuses préparations aussi. □ Épluchez les côtes en enlevant les fibres sur toute la longueur. Coupez-les en morceaux de 6 ou 7 centimètres de long. □ Faites-les blanchir à l'eau salée abondante avec le jus de citron. □ Lorsqu'elles sont tendres, égouttez-les, coupez-les en bâtonnets assez fins sur la longueur (les côtes ainsi détaillées composent un gratin plus délicat). □ Dans le plat à gratin grassement beurré, étendez un tiers des bettes, saupoudrez d'une bonne cuillerée à soupe de fromage et d'une de persil, poivrez, muscadez légèrement. □ Mettez une seconde couche de même et finissez par le reste des bettes que vous arroserez de la crème mélangée avec les jaunes. □ Saupoudrez de fromage, parsemez le reste du beurre. Faites gratiner au four chaud 200° (6 au thermostat).

Courgettes provençale

Pour 6 personnes :
8 courgettes moyennes
8 tomates
2 gousses d'ail
3 cuillerées à soupe
d'oignons hachés
2 cuillerées à soupe
de persil haché

1 pincée de feuilles de thym
100 g d'emmenthal râpé
4 cuillerées à soupe
de vin blanc
1 dl d'huile d'olive
sel, poivre
Préparation : 30 mn
Cuisson : 1 h

Épluchez les courgettes. Coupez-les en rondelles d'un demi-centimètre d'épaisseur. □ Faites chauffer l'huile dans une poêle avec les 2 gousses d'ail écrasées. A feu modéré, pour que l'huile ne brûle pas, faites revenir les courgettes en plusieurs fournées, juste pour leur faire suer leur excès d'eau et les ramollir. □ Sortez-les à l'écumoire dans une passoire pour qu'elles s'égouttent. □ Dans la poêle, mettez les oignons hachés et quelques minutes après la chair des tomates (épluchées, épépinées) avec le thym. □ Faites réduire en crème, 20 minutes environ. Salez et poivrez, ajoutez le persil. □ Dans le plat allant au four, mettez la moitié des courgettes, poivrez, saupoudrez de la moitié du fromage et de la moitié des tomates. □ Finissez de remplir le plat, saupoudrez de fromage, mouillez avec le vin blanc, mettez au four chaud 200º (6 au thermostat) pour faire gratiner. Ce plat est souvent accompagné de riz créole.

37

Croquettes
de pommes de terre

Pour 20 croquettes :
1 kg de pommes de terre en purée
1 œuf entier et 3 jaunes
farine, friture

sel, poivre, muscade
100 g de chapelure blanche
Préparation : 1 h
Cuisson : 5 mn par fournée

Épluchez les pommes de terre, coupez-les en gros morceaux, faites-les cuire à l'eau salée. □ Égouttez-les à fond, réduisez-les en purée. Si la purée est molle, desséchez-la sur le feu en remuant. □ Ajoutez les jaunes un à un dans la purée chaude, hors du feu, en les incorporant parfaitement chaque fois. □ Salez, poivrez, muscadez. Laissez reposer 15 minutes. □ Farinez une planche. Pétrissez la purée pour la rendre parfaitement lisse. □ Prélevez-en le quart, roulez-le en boudin de 3 cm de diamètre, divisez-le en morceaux de 6 cm de long. Divisez ainsi toute la purée. □ Dans une assiette creuse, battez l'œuf entier avec une pincée de sel. □ Trempez-y chaque croquette puis roulez dans la chapelure. Laissez sécher dix minutes. □ Disposez les croquettes dans la grille de la friteuse, plongez-les dans la friture chaude non fumante. En cinq minutes elles doivent être dorées. □ Posez-les sur papier absorbant et mettez-les au four chaud ouvert pour garder la croûte croustillante. Si vous employez de la purée en paillettes, conformez-vous au mode d'emploi.

Crosnes sautés

Pour 6 personnes :
1 kg de crosnes
1 poignée de gros sel
60 g de beurre
2 cuillerées à soupe

de persil haché
1/2 gousse d'ail
sel, poivre
Préparation : 15 mn
Cuisson : 30 à 40 mn

Achetez les crosnes très blancs. Jaunis, ils auraient des peaux épaisses. ☐ Dans un torchon, déposez le sel et les crosnes bien secs, et frottez-les entre les deux épaisseurs du torchon pour les débarrasser des peaux sèches. ☐ Lavez-les à grande eau, jetez-les dans une marmite d'eau bouillante, légèrement salée. Faites cuire jusqu'à ce que les crosnes ne croquent plus sous la dent, sans plus. Trop cuits, ils s'écraseraient. ☐ Rafraîchissez-les à l'eau courante, épongez-les. ☐ Mettez-les à la poêle avec le beurre. Salez, poivrez, faites sauter à feu modéré jusqu'à ce que l'humidité ne fume plus. ☐ Couvrez 5 minutes pour finir la cuisson. Servez saupoudré de persil, ou de persil très légèrement aillé.
Les crosnes, délicat légume originaire de Chine, accompagnent tous les rôtis et les grillades.

Endives braisées

Pour 6 personnes :
12 à 15 endives
100 g de beurre
2 cuillerées à soupe d'huile
2 cuillerées à café

de sucre semoule
1 citron
sel, poivre
Préparation : **10 minutes**
Cuisson : **45 minutes**

Lavez rapidement les endives sous le robinet d'eau courante. □ Enlevez les feuilles décollées, rafraîchissez la coupe de la racine. □ Égouttez les endives, épongez-les. Faites-les blondir par groupes dans quelques noix de beurre et une cuillerée d'huile sur feu moyen. □ Lorsqu'elles commencent à blondir, saupoudrez-les de sucre et laissez accentuer la couleur, salez, poivrez. □ Faites ainsi pour toutes les endives. □ Réunissez-les dans une cocotte, mouillez d'un jus de citron, couvrez et laissez braiser doucement pendant 30 minutes.
Certaines endives donnent beaucoup d'eau, d'autres non. □ Pour servir, faites évaporer l'eau à grand feu, jusqu'à ce que le beurre se voie au fond de la cocotte.
Recommandation : pour faire braiser des endives, ne les faites pas blanchir, si elles sont serrées, ne les lavez pas.

40

Epinards en gâteau

Pour 6 personnes :
500 g d'épinards
250 g de farine
250 g de fromage blanc
250 g de beurre

100 g de crème fraîche
3 œufs moyens
sel, poivre, muscade
Préparation : 25 mn
Cuisson : 30 mn

Otez les tiges des épinards, lavez-les à plusieurs eaux, égouttez-les et épongez-les dans un linge. □ Disposez-les sur une grande planche à découper et hachez-les grossièrement. □ Faites une fontaine avec la farine, au centre mettez 3 œufs entiers, le beurre un peu ramolli, la crème, le fromage blanc, sel, poivre et un peu de muscade râpée. Avec les mains, travaillez le tout comme vous le feriez pour une pâte à tarte. □ Ajoutez alors les épinards hachés, mélangez et garnissez de cette préparation un plat à gratin beurré. □ Mettez au four chauffé à l'avance, 200° (6 au thermostat) pendant 30 minutes. Aussitôt qu'une croûte se forme à la surface, le gâteau est cuit.

Fenouils braisés

Pour 6 personnes :
8 petits pieds de fenouil
2 cuill. à soupe de farine
70 g de beurre
ou 2 cuill. à soupe

de graisse d'oie
fines herbes
sel, poivre
Préparation : 5 mn
Cuisson : 45 à 50 mn

Choisissez des petits pieds de fenouil, leur goût est plus fin. □ Faites bouillir 3 litres d'eau salée dans laquelle vous aurez délayé 2 cuillerées à soupe de farine. Faites blanchir les fenouils entiers. □ Dès qu'une aiguille à brider les traverse, retirez-les, rafraîchissez-les à l'eau froide, coupez-les en quatre, épongez-les. □ Faites fondre le beurre ou la graisse d'oie, mettez les fenouils et à feu très modéré, faites-les sauter et finir de cuire. □ Poivrez légèrement. Remuez de temps en temps, ne laissez pas colorer, couvrez en fin de cuisson. Servez nature ou saupoudré de fines herbes hachées.

42

Fenouils en fricassée

Pour 6 personnes :
6 bulbes de fenouil moyens
250 g de poitrine demi-sel
500 g de pommes de terre
prêtes à cuire

12 petits oignons
2 cuillerées à soupe d'huile
50 g de beurre, sel, poivre
Préparation : 30 mn
Cuisson : 1 h

Parez les fenouils en coupant les branches, enlevez la première peau souvent dure. □ Faites-les blanchir à l'eau salée bouillante pendant 20 à 25 minutes. Égouttez-les. Faites-les dorer lentement au beurre, dans une cocotte. □ Détaillez la poitrine en fins bâtonnets, blanchissez-la 5 minutes à l'eau bouillante. □ Choisissez des pommes de terre ne se défaisant pas, coupez-les en gros dés. A la poêle, faites-les dorer dans l'huile avec la poitrine bien épongée. □ Dès que tout commence à rissoler, jetez le contenu de la poêle dans les fenouils avec les oignons, salez, poivrez. □ Couvrez, laissez braiser à feu modéré jusqu'à ce que les pommes de terre et les fenouils soient moelleux, en remuant de temps en temps. □ Si les fenouils sont gros, coupez-les en deux après leur précuisson.

43

Fèves aux poivrades

Pour 6 personnes :
3 kg de fèves
(petites de préférence)
12 à 18 poivrades
(petits artichauts violets)
1 tranche de 200 g
de jambon de pays
24 oignons blancs
2 citrons, 100 g de beurre
sel, poivre, sucre
Préparation : 40 mn
Cuisson : 50 mn à 1 h

Écossez les fèves, jetez-les dans une grande quantité d'eau bouillante. Faites-les bouillir 3 minutes. □ Égouttez-les, rafraîchissez-les, la peau va s'enlever très facilement en fendant de l'ongle la ligne noire et en pressant sur la fève. □ Épluchez les poivrades comme des pommes de terre en ne conservant que le fond. Citronnez-les à fond au fur et à mesure pour qu'ils ne noircissent pas. □ Dans une cocotte, faites fondre une grosse noix de beurre. Mettez le jambon coupé en dés, les oignons entiers, faites-les roussir quelques minutes en remuant. □ Ajoutez les poivrades, mouillez d'un verre d'eau, couvrez. Faites cuire 30 minutes à petit feu. □ Ajoutez alors les fèves, le reste du beurre, une pincée de sucre. Salez après avoir goûté, poivrez, remuez pour mélanger, couvrez et faites cuire à très petit feu jusqu'à ce que les fèves soient fondantes. Suivant la taille et la saison des fèves, il faudra de 10 à 30 minutes pour terminer la cuisson.

Fèves printanières

Pour 6 personnes :
5 kg de fèves
20 petits oignons blancs
1 cuillerée à soupe
de sarriette sèche

150 g de jambon
sel, poivre, sucre
100 g de beurre
Préparation : 30 mn
Cuisson : 45 mn environ

Écossez les fèves, jetez-les dans 2 litres d'eau bouillante. Amenez à ébullition, sortez du feu. Cinq minutes après, versez-les dans une passoire, rafraîchissez-les à l'eau froide. Enlevez les peaux en incisant la peau du côté du pédoncule. En appuyant la fève va sortir dépouillée. □ Dans une casserole à fond épais, faites fondre la moitié du beurre, ajoutez les petits oignons avec le jambon coupé fin en bâtonnets et la sarriette sèche ou fraîche en bouquet. □ A feu très modéré, faites cuire pendant 20 minutes en remuant souvent. Ajoutez les fèves, 1 dl d'eau chaude, une cuillerée à café de sucre, salez, poivrez légèrement. Couvrez. □ Faites cuire à feu modéré pour que les fèves restent entières. Faites-les sauter de temps en temps. La cuisson des fèves est plus ou moins longue selon leur taille et leur fraîcheur. □ Au moment de servir, faites réduire le jus à grand feu (s'il y a lieu), ajoutez le reste du beurre, laissez-le fondre. Ces délicieux légumes sont l'accompagnement recherché des jeunes viandes de printemps comme l'agneau et le cabri.

45

Fonds d'artichaut farcis

Pour 6 personnes :
6 gros artichauts
200 g de jambon
250 g de champignons
100 g de gruyère râpé
1/3 de litre de lait
2 cuillerées à soupe
de farine
60 g de beurre, 1 citron
2 cuillerées à soupe
de crème
sel, poivre, muscade
Préparation : 30 minutes
Cuisson : 30 minutes

Épluchez les fonds d'artichaut crus au couteau en les citronnant au fur et à mesure pour qu'ils ne noircissent pas. □ Cuisez-les à l'eau bouillante salée jusqu'à ce qu'une pointe de couteau les traverse aisément.

Hachez le jambon, réservez-le. □ Hachez les champignons, mouillez-les de quelques gouttes de citron pour qu'ils ne noircissent pas. □ Faites-les fondre dans une noix de beurre juste pour faire évaporer leur eau. □ Mélangez-les au jambon que vous avez haché.

Avec le reste du beurre, la farine, le lait, faites une béchamel peu salée, poivrée, muscadée. □ Ajoutez trois ou quatre cuillerées à soupe de cette sauce et deux cuillerées à soupe rases de gruyère dans la farce.

Remplissez les fonds d'artichaut, disposez-les dans le plat à gratin.

Allégez le reste de béchamel avec la crème, ajoutez-lui le reste du gruyère sauf une cuillerée à soupe. □ Arrosez-en les fonds d'artichaut, saupoudrez du reste de gruyère, mettez à four chaud (200°) pour chauffer à fond et faire gratiner sans hâte.

Frigousse

Pour 6 personnes :
1 kg de petits pois
250 g de haricots verts
500 g de carottes nouvelles
500 g de navets nouveaux
1 botte d'oignons blancs

1 laitue
300 g de lard de poitrine
75 g de beurre
sel, poivre, thym
Préparation : 20 mn
Cuisson : 50 mn

Écossez les petits pois. Épluchez les haricots, les carottes, les navets, coupez-les en dés. □ Épluchez les oignons, laissez-les entiers. Lavez le cœur de la laitue, laissez-le entier. Ne mélangez pas les légumes. □ Coupez le lard en dés, faites-le blanchir 3 minutes dans de l'eau bouillante. Égouttez-le, épongez-le. □ Dans une cocotte, faites revenir doucement au beurre les lardons. □ Mettez ensuite les carottes et les oignons, laissez-les suer quelques instants, en remuant plusieurs fois. □ Ajoutez les haricots, les petits pois, les navets. □ Mouillez avec 1 décilitre d'eau. Salez, poivrez, ajoutez 1 branche de thym, couvrez et amenez à ébullition. □ Réduisez le feu et faites cuire doucement 40 minutes en remuant de temps en temps. A mi-cuisson, ajoutez le cœur de laitue. Cette frigousse se sert en accompagnement de toutes les viandes rôties ou grillées, mais peut être aussi un plat complet pour le soir.

Gâteau de bettes

Pour 6 personnes :
750 g de vert de bettes
2 cuillerées à soupe de saindoux
400 g de lard demi-sel
3 échalotes moyennes
thym, persil, laurier

3 œufs entiers
3 jaunes d'œufs
1/4 de litre de lait
50 g de farine, poivre, sel
Préparation : 40 minutes
Cuisson : 40 à 45 minutes

Coupez les feuilles de bettes en julienne (petites lanières fines) ou hachez-les grossièrement. Hachez fin le lard après l'avoir lavé et épongé. □ Dans une grande casserole, faites fondre les bettes dans le saindoux à feu vif en remuant souvent. Dès qu'elles sont molles, ajoutez les échalotes émincées, 2 cuillerées à soupe de persil haché, 1 cuillerée à café de thym, une feuille de laurier brisée. □ Hors du feu, ajoutez le lard, les œufs et les jaunes, mélangez à fond, mouillez avec le lait, poivrez, salez après avoir goûté. □ Versez dans un plat à gratin, mettez au four chaud 220º (6 au thermostat), laissez cuire 40 minutes en surveillant la couleur. En appuyant le doigt dessus on doit sentir le gâteau entièrement pris. □ Servez tiède, en entrée ou en accompagnement de viandes rôties ou de charcuteries grillées.

48

Girolles sautées

Pour 6 personnes :
1 kg de girolles
60 g de beurre
2 cuillerées à soupe d'huile
2 échalotes moyennes

1 gousse d'ail
persil haché
sel, poivre
Préparation : 20 minutes
Cuisson : 25 à 35 minutes

Coupez le bout terreux des champignons, lavez-les rapidement à grande eau plusieurs fois pour les débarrasser de leur sable. Épongez-les. □ Mettez-les à la poêle avec l'huile, faites évaporer leur eau rapidement. □ Dès qu'il ne reste plus que l'huile, ajoutez le beurre, les échalotes hachées fin et l'ail finement écrasé. Salez, poivrez. □ Faites cuire sans hâte en remuant souvent. Dès que les girolles commencent à rissoler, c'est-à-dire à se colorer, elles sont cuites. □ Versez dans le plat de service, saupoudrez d'une bonne cuillerée à soupe de persil haché.

49

Gnocchi

Pour 6 personnes :
1,5 l de lait
300 g de semoule de blé
3 jaunes d'œufs
75 g de beurre

100 g de gruyère râpé
sel, poivre
noix muscade
Préparation : 1 h 30
Cuisson : 15 minutes

Dans une casserole, versez le lait, ajoutez le beurre, salez, poivrez, saupoudrez d'un peu de muscade râpée. □ Amenez à ébullition. □ Jetez alors la semoule en pluie et remuez sans cesse à la cuillère en bois. □ Réduisez le feu et laissez cuire en tout 8 à 10 minutes toujours en remuant. □ La préparation devient très épaisse et tend à se décoller de la casserole. □ Hors du feu, incorporez les jaunes d'œufs, mélangez intimement.

Sur la table, posez une grande feuille de papier alumi-nium. □ Mouillez-la légèrement. □ Versez-y la pâte, éten-dez-la à la spatule mouillée en formant un rectangle d'un demi-centimètre d'épaisseur. □ Laissez refroidir complè-tement. A l'aide d'un emporte-pièce de 4 à 5 centimètres de diamètre, découpez les gnocchi.

Disposez-les dans un plat à gratin beurré. □ Saupoudrez-les de gruyère râpé, parsemez de quelques copeaux de beurre. □ Faites gratiner à four chaud 15 minutes environ.

Gratin d'aubergines

Pour 6 personnes :
2 kg d'aubergines
2 l d'huile à friture
2 cuillerées à soupe
de gros sel
750 g de tomates
2 gousses d'ail
5 grandes feuilles
de basilic
1 cuillerée à soupe
d'huile d'olive
thym, persil
100 g de râpé
sel, poivre
Préparation : 40 minutes
Cuisson : 20 minutes

Épluchez les aubergines. □ Coupez-les en tranches de 1 cm d'épaisseur dans le sens de la longueur. □ Disposez-les dans une passoire à pied en les saupoudrant, au fur et à mesure, de gros sel pour les faire dégorger pendant 1/2 heure. □ Lavez-les rapidement pour enlever le sel, épongez-les dans un linge. □ Faites-les dorer à grande friture. □ Sortez-les et égouttez-les à fond.

D'autre part, préparez un coulis de tomates : coupez les tomates en deux, épépinez-les et mettez-les dans une casserole avec l'ail, le basilic, le persil, une branche de thym, l'huile d'olive. □ Faites cuire à feu vif jusqu'à ce que l'eau des tomates soit complètement évaporée. □ Passez à la moulinette, salez, modérément, poivrez.

Dans un plat allant au four, disposez une couche de coulis, puis une couche d'aubergines frites, saupoudrez de râpé. □ Recommencez jusqu'en haut du plat et faites gratiner. Cette préparation est aussi bonne froide que chaude.

Gratin dauphinois

Pour 6 personnes :
2 kg de pommes de terre
1 l de lait bouilli froid
100 g de crème (facultatif)
80 g de beurre

50 g de gruyère râpé
1 gousse d'ail
sel, poivre, muscade
Préparation : 20 minutes
Cuisson : 2 heures

Prenez un plat allant au four d'au moins 5 cm de profondeur. □ Dans une terrine, coupez les pommes de terre, épluchées et épongées, en rondelles très fines. □ Assaisonnez d'une cuillerée à soupe de sel, d'une petite cuillerée à café de poivre, d'une pointe de muscade. Mélangez. Versez dans le plat passé à l'ail, égalisez. □ Mouillez avec le lait et la crème pour qu'il affleure les pommes de terre, parsemez de copeaux de beurre.

Mettez au four moyen (4 au thermostat). Faites cuire 2 heures en ajoutant du lait s'il le faut. □ Aux 3/4 de la cuisson, lorsque les pommes de terre sont presque cuites, remontez le feu pour faire dorer le dessus. □ A ce moment, saupoudrez de gruyère râpé. Suivant la qualité des pommes de terre, 2 h 30 sont parfois nécessaires pour obtenir un gratin aux pommes fondantes.

A la campagne où la teneur de crème du lait n'est pas normalisée, inutile d'ajouter de la crème.

Gratin de courgettes

Pour 6 personnes :
3 livres de courgettes
250 g de crème fraîche
3 œufs

100 g de gruyère râpé
sel, poivre, muscade
Préparation : 5 minutes
Cuisson : 30 minutes

Lavez les courgettes sans les éplucher, essuyez-les et coupez-les en rondelles de 1 cm d'épaisseur. □ Jetez-les dans 3 litres d'eau bouillante salée, faites cuire 15 à 18 minutes. □ Versez-les dans une passoire à pied pour les égoutter. □ Avec l'écumoire, pressez-les pour extraire le trop-plein d'eau. □ Versez les courgettes dans un plat beurré allant au four. □ Écrasez-les grossièrement à la fourchette.

Dans un saladier, battez les œufs en omelette, ajoutez crème, gruyère râpé, salez, poivrez, saupoudrez de muscade râpée. □ Versez cette préparation sur les courgettes, mélangez et faites gratiner à four chaud pendant 15 minutes.

Haricots blancs en purée

Pour 6 personnes :
1 kg de haricots
1 oignon piqué de
1 clou de girofle
2 carottes, 1 gousse d'ail
1 bouquet garni

avec 2 côtes de céleri
sel, poivre
60 g de beurre
125 g de crème
Préparation : 15 mn
Cuisson : 1 h 30 à 2 h

Triez et lavez les haricots, mettez-les dans un faitout très largement recouverts d'eau froide, environ 5 litres. □ Portez sur feu moyen, amenez lentement à ébullition (au moins 30 minutes pour atteindre le premier bouillon), laissez bouillir 15 minutes. Égouttez, remettez sur le feu largement couvert d'eau bouillante avec tous les assaisonnements. □ Ébullition reprise, maintenez un petit bouillonnement pendant 1 heure à 1 h 15. Les haricots doivent être fondants. □ Retirez les assaisonnements, passez les haricots, gardez le bouillon de cuisson. □ Écrasez les haricots à la moulinette, mais éliminez les peaux déchiquetées en passant cette purée à travers une passoire fine ou un tamis. Mouillez du jus de cuisson pour faciliter le tamisage. Si la purée est trop liquide, faites évaporer l'excès de liquide sur feu assez vif en remuant. □ Salez, poivrez, ajoutez le beurre et juste assez de crème pour obtenir une purée moelleuse sans être molle. Travaillez-la au fouet pour la rendre légère. □ Avec le reste de bouillon de cuisson, et éventuellement le reste de purée, vous ferez un savoureux potage.
La purée de haricots accompagne tous les rôtis, grillades, et rôtis de vénerie.

Haricots frais poitevins

Pour 6 personnes :
1 kg de haricots
frais écossés
1 oignon
1 clou de girofle
2 carottes
2 gousses d'ail
3 côtes de céleri

1 bouquet garni
1 blanc de poireau
40 g de beurre
150 g de crème
persil, cerfeuil, estragon
sel, poivre, farine
Préparation : 30 mn
Cuisson : 25 à 35 mn

Dans 2 litres d'eau salée, faites cuire les assaisonnements : carottes, oignon piqué du clou de girofle, ail, le bouquet ficelé avec le poireau, pendant 20 à 25 minutes. □ Ajoutez les haricots, amenez à nouveau à ébullition, puis baissez le feu. □ Laissez frémir jusqu'à cuisson complète, en ajoutant un peu d'eau bouillante au besoin pour que les haricots soient toujours recouverts de 2 cm d'eau. □ Avec le beurre et une grosse cuillerée de farine, faites un roux blanc, mouillez avec la crème pour obtenir une béchamel épaisse. □ Égouttez les haricots en retirant les légumes de cuisson, mélangez-les à la béchamel, rectifiez l'assaisonnement en ajoutant une pincée de poivre frais moulu. □ Au moment de servir, ajoutez les herbes hachées.

Haricots mange-tout

Pour 6 personnes :
1,500 kg de haricots
20 oignons blancs
100 g de beurre

sel, poivre
persil haché
Préparation : 30 mn
Cuisson : 30 à 40 mn

Épluchez les haricots en prenant soin de retirer les fils s'il y en a. Les haricots mange-tout en ont quelquefois. □ Faites-les cuire à l'eau bouillante salée sans les couvrir et, dès qu'ils ne croquent plus, égouttez-les, rincez-les à l'eau froide. □ Pendant qu'ils cuisent, mettez les oignons dans une casserole avec 2 centimètres d'eau et une cuillerée à soupe de beurre. □ Couvrez, faites mijoter 10 minutes puis découvrez et faites cuire jusqu'à ce qu'il n'y ait plus que le beurre dans les oignons. Ils sont presque cuits. □ Mélangez oignons et haricots, ajoutez le reste du beurre dans une grande casserole, salez, poivrez, faites étuver à très petit feu. □ Au moment de servir, faites réduire l'excès de jus s'il y a lieu. Servez en accompagnement de viande grillée ou rôtie après avoir saupoudré de 2 cuillerées à soupe de persil haché. L'important est que tous ces légumes soient entiers, cuits juste à point.

Haricots secs

Pour 6 personnes :
500 g de haricots secs
un bouquet garni
une côte de céleri
un oignon piqué

d'un clou de girofle
une gousse d'ail, sel
2 petites carottes
Préparation : **10 minutes**
Cuisson : **2 h à 2 h 30**

La cuisson des haricots blancs et des flageolets doit se conduire de la même manière. Ne faites pas tremper les haricots. Cette coutume à bannir provoque un début de fermentation de la fécule, origine de tous les reproches faits aux légumes secs. La cuisson s'effectue en deux temps. □ Lavez les haricots. □ Mettez-les dans un grand faitout où ils seront recouverts de 20 cm d'eau froide. □ Amenez-les, couverts, très lentement à ébullition : trois quarts d'heure au moins. □ Dès que l'ébullition est atteinte, éteignez le feu et laissez tiédir. Ils vont doubler de volume. □ Égouttez-les, jetez l'eau, remettez-les dans le faitout, couvrez-les largement d'eau bouillante, ajoutez les aromates et les légumes, salez, couvrez. □ Dès l'ébullition atteinte, baissez le feu pour laisser cuire à tout petits bouillons jusqu'à cuisson complète, une heure à une heure un quart suivant la qualité des haricots. Vous obtiendrez ainsi des haricots non éclatés, prêts à subir tous les accommodements.

Haricots verts à la provençale

Pour 6 personnes :
3 livres de haricots
verts ou mange-tout
4 tomates, 6 oignons
50 g de beurre
2 cuillerées à soupe

d'huile d'olive
1 bouquet garni
1 gousse d'ail
sel, poivre
Préparation : 15 minutes
Cuisson : 40 minutes

Effilez les haricots, lavez-les, égouttez-les. □ Plongez les tomates 3 à 4 minutes dans de l'eau bouillante, épluchez-les, coupez-les en deux, faites tomber les graines. □ Dans une cocotte ou un poêlon, faites revenir doucement au beurre et à l'huile les oignons et les tomates. □ Ajoutez les haricots verts, l'ail et le bouquet garni. □ Salez, poivrez, couvrez, faites cuire 40 minutes à petit feu.

Haricots verts frais

On fait toujours trop cuire les haricots verts.
Pour 1 kg de haricots, comptez 5 litres d'eau bouillante sans sel, dans un grand faitout en émail ou en inox. □ Mettez-les par poignées pour que l'eau ne s'arrête pas de bouillir. □ Ne couvrez pas. □ Vérifiez souvent ; dès que les haricots ce croquent plus, ils sont cuits. □ Retirez-les, passez-les à l'eau froide. □ Réchauffez-les lentement non couverts, dans du beurre, sans les laisser rissoler. □ Parfumez-les d'un hachis d'oignons, de persil ou d'ail.

Haricots verts en conserve

Videz la boîte dans une passoire, passez-les sous le robinet d'eau froide. □ Égouttez-les. □ Réchauffez-les comme des haricots frais.

58

Laitues braisées

Pour 6 personnes :
6 laitues non pommées
125 g de beurre, sel
24 petits oignons blancs
1 bouquet garni

poivre, sucre
Préparation : 25 à 30 minutes
Cuisson : 30 minutes
Précuisson des oignons :
25 minutes

Dans une casserole à fond épais, faites fondre une cuillerée à soupe de beurre. □ Dès qu'il mousse, ajoutez les oignons avec une petite cuillerée à soupe de sucre et une pincée de sel. □ Faites-les glacer à feu modéré jusqu'à ce qu'ils prennent une couleur caramélisée. □ Choisissez des laitues non pommées, coupez-les en deux, lavez-les soigneusement, égouttez-les à fond. □ Dans une poêle avec la moitié du beurre, faites fondre les laitues saupoudrées d'un peu de sucre pour qu'elles dorent. □ Dès qu'elles sont ramollies, retirez-les, roulez-les sur elles-mêmes, mettez-les dans une cocotte avec sel, poivre, le bouquet et les oignons au centre. □ Faites-les braiser couvertes. A la fin de la cuisson si elles ont lâché trop de jus, faites-le réduire à grand feu. Dressez-les en couronne dans le plat de service, oignons au centre, pour accompagner des côtelettes de porc ou de veau, etc. Si vous n'avez que des laitues pommées, prélevez les feuilles vertes après avoir éliminé les grosses feuilles dures, ficelez-les en paquets allongés pour les faire revenir, déficelez-les pour les rouler ensuite.

Maïs en épis

Pour 6 personnes :
6 épis de maïs
sucre, sel, beurre

Préparation : 1 à 2 mn par épi
Cuisson à l'eau : 5 minutes
au four : 40 à 45 minutes

Choisissez des épis aux enveloppes fraîches sans jaune. Pour la cuisson nous vous donnons le choix entre la cuisson à l'eau ou au four.

Cuisson à l'eau : écartez l'enveloppe sans arracher les cosses, enlevez les barbes, remettez-la en place. □ Jetez les épis dans assez d'eau bouillante pour qu'ils soient largement recouverts. □ Ne salez pas l'eau, le sel durcirait les grains, mettez un morceau de sucre par épi. Ébullition reprise, comptez 5 minutes. □ Sortez les épis, égouttez-les, débarrassez-les de leur enveloppe, coupez les deux bouts. □ Servez-les sous serviette humide et chaude accompagnés de beurre demi-sel ou de beurre et de sel.

Cuisson au four : débarrassez les épis de leurs barbes, remettez leur enveloppe en place. □ Attachez le bout avec une ficelle, trempez-les 10 minutes dans l'eau froide. □ Égouttez-les et mettez-les au four chaud (180°, 4 au thermostat), posés sur la grille de la lèchefrite. □ Laissez cuire de 40 à 45 minutes, servez comme il est dit plus haut. □ Le maïs potager est appelé aussi maïs sucré, c'est une variété différente de celle des champs. On le mange à pleines dents tenu au bout des doigts.

60

Marrons braisés

Pour 6 personnes :
2 kg de marrons
2 côtes de céleri
1 cuill. à café rase de farine

sel, poivre
40 g de beurre
Préparation : 30 mn
Cuisson : 40 à 45 mn

Fendez, sans entamer le fruit, l'écorce du côté bombé. □ Mettez les marrons dans la lèchefrite du four, chaleur maximale, avec un bon centimètre d'eau, pendant 10 minutes environ. Les marrons doivent s'éplucher sans peine de leurs deux peaux. Sinon couvrez-les d'un torchon mouillé pendant quelques minutes. Ils ne doivent absolument pas dorer. □ Épluchés, mettez-les dans une large casserole pour qu'ils s'étalent dans une seule épaisseur avec le beurre, les côtes de céleri, sel, poivre, une cuillerée à café rase de sucre. □ Mouillez d'eau à hauteur des marrons, faites bouillir, couvrez, et tenez à feu très doux pendant 45 minutes environ. Les marrons seront entiers, brillants, fondants.

Navets glacés

Pour 6 personnes :
4 bottes de petits
navets ronds, soit environ 2 kg
100 g de beurre, sel

2 cuillerées
à soupe de sucre
Préparation : 10 minutes
Cuisson : 50 minutes

N'épluchez pas les navets nouveaux. □ Faites-les blanchir à l'eau salée en les couvrant largement jusqu'à ce qu'une aiguille à brider les traverse. Égouttez-les. □ Faites fondre le beurre dans une sauteuse ou une poêle à fond large, mettez-y les navets séchés, faites-les dorer doucement. □ Quand ils commencent à prendre couleur, saupoudrez-les de sucre. □ Continuez à les faire dorer et glacer à feu modéré en secouant souvent la sauteuse. Ces navets accompagnent généralement une viande braisée ou rôtie, arrosez-les de son jus au moment de servir.

in d'épinards

Pour 6 personnes :
3 kg d'épinards
4 œufs, 200 g de crème
2 cuill. à soupe de farine
1 cuill. à soupe de beurre
sel, poivre, muscade
Sauce blanche :
1 cuill. à soupe de beurre

1 cuill. à soupe de farine
2 dl d'eau
200 g de crème
2 jaunes d'œufs
sel, poivre
Préparation : 40 mn
Cuisson : 1 h
Moule à charlotte de 1 l

Nettoyez, lavez les épinards soigneusement. □ Faites bouillir 5 litres d'eau salée dans une large bassine. Pochez les épinards, juste pour les ramollir. □ Au besoin, procédez par fractions, pour que l'ébullition, vite reprise, les épinards ne cuisent que 5 à 7 minutes et demeurent très verts. □ Égouttez-les aussitôt, pressez-les par paquets entre les mains pour en extraire toute l'eau. Sur la planche, hachez-les grossièrement (pas à la moulinette). □ Avec le beurre, la farine, la crème, faites une béchamel épaisse, ajoutez-lui hors du feu les 4 œufs battus en omelette, salez, poivrez, muscadez de haut goût. Mélangez aux épinards, goûtez. □ Versez dans le moule, mettez au four au bain-marie 180° (5 au thermostat). Cuisez 1 heure sans laisser prendre couleur. Vérifiez à la lame de couteau. □ Démoulez tout chaud, servez en même temps la sauce blanche. □ Cuisez beurre et farine quelques minutes, mouillez avec l'eau froide d'un seul coup. □ Faites épaissir en remuant au fouet, puis ajoutez les jaunes délayés dans la crème. Salez, poivrez, cuisez 4 minutes à feu moyen en remuant. □ Hors du feu, ajoutez en fouettant une seconde cuillerée de beurre fractionnée. Servez chaud. Étoffez votre plat d'œufs durs pour en faire un plat de résistance.

Papeton d'aubergines

Pour 6 personnes :
1,500 kg d'aubergines
sel, poivre, thym
50 g de gruyère râpé

huile d'olive
5 œufs
Préparation : 40 minutes
Cuisson : 30 à 35 minutes

Épluchez les aubergines, coupez-les en rondelles assez fines. □ Étendez-les dans un torchon, roulez, tordez pour extraire le maximum d'eau. □ Faites-les dorer rapidement à la poêle à l'huile d'olive, et passez-les à la moulinette. □ Enlevez l'excès d'huile qui apparaît autour du hachis, salez, poivrez, effeuillez 3 branches de thym. Ajoutez les œufs un à un en mélangeant au fur et à mesure. □ Versez dans un moule à manqué légèrement huilé. Mettez au four 220o (6 au thermostat). □ Dès que la surface n'est plus molle, saupoudrez de gruyère râpé, baissez le feu à 180o (4 au thermostat). Laissez cuire 25 à 30 minutes en surveillant la couleur, puis vérifiez la cuisson à la lame de couteau qui doit ressortir propre. □ Servez chaud ou froid. Cette délicieuse préparation accompagnera, chaude, les grillades et les rôtis. Froide, coupée en tranches, elle complétera des hors-d'œuvre.

64

Petits pois à la française

Pour 6 personnes :
3 kg de petits pois
6 oignons
1 cœur de laitue
2 morceaux de sucre
60 g de beurre

sel, poivre
1 ou 2 carottes
(facultatif)
bouquet garni
Préparation : 20 minutes
Cuisson : 30 minutes

Écossez les petits pois au moment de les mettre au feu ou conservez-les au frais à l'abri de l'air. □ Dans une casserole à fond épais, posez le cœur de laitue, les petits pois, les oignons, le sucre, les épices et le bouquet. □ Versez 2 cm d'eau froide, couvrez, mettez sur feu moyen. □ Dès que l'ébullition est atteinte, maintenez-la 15 minutes. □ Ajoutez le beurre, laissez mijoter à petit feu jusqu'à cuisson complète.

Si vous venez de cueillir les pois dans votre jardin, faites-les cuire directement dans le beurre à petit feu.

Petits pois bonne femme

Pour 6 personnes :
1 grande boîte
de petits pois extra-fins
300 g de jambon cuit
12 petits oignons
1 bouquet garni (petit)

50 g de beurre
2 jaunes d'œufs
sel, sucre
poivre, muscade
Préparation : 10 minutes
Cuisson : 25 minutes

Versez la boîte de petits pois dans une passoire. □ Passez-la rapidement sous le robinet d'eau froide. □ Laissez égoutter. □ Dans une casserole à fond épais, mettez les oignons et le bouquet juste recouverts d'eau et deux noix de beurre. □ Faites frissonner à feu moyen, à découvert, jusqu'à ce que les oignons soient facilement traversés par une pointe de couteau et l'eau évaporée. □ Ajoutez le jambon coupé en dés. □ Faites sauter jusqu'à ce qu'il commence à blondir. □ Couvrez avec les petits pois. □ Salez, poivrez, râpez une pointe de muscade. □ Ajoutez 2 morceaux de sucre et le reste du beurre. □ Couvrez. □ Faites chauffer lentement en remuant de temps en temps pour mélanger.

Au moment de servir, enlevez le bouquet. □ Hors du feu, ajoutez les jaunes d'œufs délayés avec une cuillerée à soupe d'eau.

Pois cassés en purée

Pour 6 personnes :
1 kg de pois cassés
1 pied de cochon
frais entier
1 bouquet garni
avec 1 côte de céleri

2 oignons
sel, poivre
25 g de beurre
(facultatif)
Préparation : 10 mn
Cuisson : 1 h

Videz les pois cassés dans une passoire, lavez-les sous le robinet. □ Mettez-les dans une marmite avec 5 litres d'eau froide, le pied de cochon entier, le bouquet, les oignons. □ Amenez à ébullition sans hâte, faites cuire à feu modéré en remuant de temps en temps pour que les pois n'attachent pas. □ Lorsque le pied de cochon est cuit, les pois le sont aussi. Retirez pied et assaisonnements, laissez reposer 2 minutes pour que l'eau remonte. □ Penchez la marmite sur un récipient muni d'une passoire fine, recueillez tout le bouillon, il va faire une excellente soupe enrichie du pied cuit. □ Passez les pois au moulin à légumes, faites dessécher la purée sur le feu en remuant jusqu'à consistance voulue, rectifiez l'assaisonnement, ajoutez un petit morceau de beurre (facultatif).
Cette délicieuse et écomomique purée accompagnera pieds de cochon grillés, saucisses, rôti de porc, lard grillé, etc.

Pois cassés en soupe

Pour 6 personnes :
2 l de bouillon
de cuisson d'une purée
ou 250 g de pois cassés
1 queue ou 1/2 pied
de cochon frais
1 côte de céleri
1 petit bouquet garni
1 oignon, sel, poivre

4 cuillerées
à soupe de crème
1 bol de dés de pain de mie
grillés au beurre
Préparation : nulle
en partant du bouillon
de cuisson d'une purée
Cuisson : 10 mn
En faisant cuire les pois : 1 h

Faites cuire tous les éléments dans 2 litres d'eau froide avec les assaisonnements ou servez-vous du bouillon et du reste de la purée. □ Passez les pois au moulin à légumes pour obtenir un potage à votre goût crémeux ou épais en ajoutant la quantité nécessaire d'eau chaude. □ Détaillez le pied de cochon en petits morceaux. Faites dorer les dés de pain de mie au beurre. □ Servez la soupe bouillante après y avoir jeté la crème et présentez à part le pied de cochon détaillé et les croûtons.

Pommes Mont-d'Or

Pour 6 personnes :
12 pommes de terre moyennes
12 feuilles de laurier
1 petit vacherin

beurre
poivre
Préparation : 15 mn
Cuisson : 1 h 30 à 1 h 45

Lavez et brossez les pommes de terre car vous allez en manger la peau. □ Fendez-les sur le dessus, introduisez une feuille de laurier dans la fente. □ Mettez-les dans la lèchefrite du four et faites-les cuire sans hâte à 180° (5 au thermostat).

Si vous offrez ce plat rustique et savoureux à des grandes personnes, présentez le fromage entier. Chacun en prendra une part qu'il dépouillera de sa peau, et introduira dans la pomme de terre ouverte dans l'assiette avec une pointe de poivre et une noisette de beurre. Mais, si vous avez des enfants, videz le fromage dans une coupelle, le service à table sera simplifié.

Pommes boulangère

Pour 6 personnes :
1,500 kg de pommes de terre
1/2 gousse d'ail
1 feuille de laurier
4 branches de thym
1 cuillerée à soupe
de persil haché
4 cuillerées à soupe
de graisse d'oie
sel, poivre
Préparation : 25 mn
Cuisson : 1 h 30 env.

Coupez les pommes de terre épluchées en rondelles très fines. Lavez-les rapidement à l'eau froide pour les débarrasser de leur fécule. Égouttez-les. □ Dans un plat à gratin, mettez une bonne cuillerée à soupe de graisse d'oie, étendez-la, graissez les bords du plat. □ Disposez le tiers des pommes de terre, salez et poivrez très légèrement, saupoudrez de la moitié des herbes mélangées (laurier émietté ainsi que le thym) parfumées très discrètement d'ail finement écrasé. N'augmentez pas les doses d'herbes : elles doivent prêter leur arôme mais ne pas s'imposer. Remettez une autre couche de pommes de terre, saupoudrez du reste des herbes, puis couvrez avec le reste des pommes, salez et poivrez très légèrement chaque couche. Répartissez le reste de graisse d'oie en surface, mouillez d'eau chaude au ras des pommes de terre. □ Mettez sur le feu modéré, amenez à ébullition, faites mijoter sans remuer jusqu'à ce que toute l'eau soit évaporée et qu'au fond des pommes il n'y ait plus que la graisse. □ Mettez alors au four chaud 220º (6-7 au thermostat) pour finir de cuire et dorer très légèrement en surface. □ Lorsque la bonne couleur est atteinte, baissez le feu à 160º (3 au thermostat), laissez encore rissoler pendant 20 minutes. Servez avec toutes les viandes grillées ou rôties.

Pommes de terre au lard

Pour 6 personnes :
du saindoux
3 livres de pommes
de terre épluchées

300 g de lard
de poitrine fumé
Préparation : 25 minutes
Cuisson : 1 heure

Coupez la poitrine en lardons assez épais. □ Faites-les blanchir 5 minutes dans de l'eau bouillante, laissez-les tiédir dans l'eau, égouttez-les, épongez-les. □ Coupez les pommes de terre en dés. □ Dans une poêle à fond épais ou dans une cocotte à fond large, faites fondre 2 cuillerées à soupe de saindoux, ajoutez pommes et lardons. □ Faites dorer tout ensemble sans hâte pour que les éléments rissolent sans brunir, au besoin ajoutez encore du saindoux. Pour servir, enlevez la préparation de la poêle, à l'écumoire. Servez avec une salade verte parfumée de chapons à l'ail. En plat unique ou accompagnant de la viande froide les pommes au lard sont un savoureux dîner rustique.

71

Pommes frites

Pour 6 personnes :
2,5 kg de pommes de terre
1 bassine de friture

de 2,5 l à 3 l d'huile, sel
Préparation : 10 minutes
Cuisson : 30 minutes

Épluchez, lavez, coupez les pommes de terre en bâtonnets réguliers. □ Épongez-les pour les sécher.
Faites chauffer la friture en disposant les pommes de terre dans le panier suspendu de la friteuse. □ Dès que l'huile fume, mettez les pommes de terre. □ Retirez-les au bout de 12 à 15 minutes lorsqu'elles sont cuites mais encore blanches. □ Éteignez le feu. Vingt minutes avant de servir, faites chauffer l'huile de nouveau, plongez-y les pommes de terre jusqu'à ce qu'elles soient dorées à point. Laissez égoutter. □ Posez dans la plat de service, salez au sel fin.

Pommes sautées

Pour 6 personnes :
2 kg de pommes de terre
1 verre d'huile, sel
3 cuillerées à soupe de beurre

3 cuillerées à soupe
de fines herbes hachées
Préparation : 5 minutes
Cuisson : 45 minutes

Épluchez les pommes de terre, gardez-les dans l'eau jusqu'à la cuisson. □ Épongez-les. □ Mettez l'huile dans une cocotte, faites-la chauffer. □ Ajoutez les pommes de terre et laissez-les sans couvercle. □ A petit feu, faites-leur prendre couleur en les remuant doucement et de temps en temps à la cuillère en bois. □ Lorsqu'elles sont bien dorées, enlevez l'excès d'huile, ajoutez le beurre, couvrez. □ Terminez la cuisson à feu très réduit. □ Servez avec le beurre de cuisson. □ Saupoudrez de fines herbes hachées.

Pommes lyonnaise

Pour 6 personnes :
500 g d'oignons
3 livres
de pommes de terre
125 g de beurre
sel, poivre, huile

persil haché
Préparation : 25 minutes
Cuisson : 30 minutes
Cuisson préalable :
20 à 25 minutes
2 heures à l'avance

Faites cuire les pommes de terre à l'eau salée, dans leur peau. □ Laissez-les refroidir. □ Coupez-les en rondelles, faites-les sauter à la poêle à feu modéré dans la moitié du beurre et 1 cuillerée à soupe d'huile. □ Émincez les oignons, faites-les blondir sans hâte dans une autre poêle avec le reste du beurre. □ Procédez sur feu modéré pour que les uns et les autres soient cuits sans brunir. □ Lorsque pommes et oignons sont à point, réunissez-les, salez, poivrez, tenez-les deux à trois minutes sur le feu en mélangeant bien. Servez saupoudré de persil haché.

73

Pommes sarladaise

Pour 6 personnes :
1,500 kg de pommes de terre
1 truffe
4 cuillerées à soupe
de graisse d'oie

1 gousse d'ail
(facultatif)
sel, poivre
Préparation : 30 mn
Cuisson : 45 mn à 1 h

Coupez les pommes de terre en rondelles. □ Jetez-les dans 3 litres d'eau bouillante, lavez-les pour les débarrasser de leur fécule. Égouttez-les, épongez-les. □ Faites chauffer la graisse avec l'ail écrasé dans une grande poêle, au besoin ayez deux poêles pour pouvoir faire sauter les pommes sans les casser. □ Au moment où elles commencent à dorer, salez, poivrez, ne les remuez plus, laissez croûter. □ Lorsqu'elles sont de la bonne couleur, retournez-les à l'aide d'un plat pour faire dorer l'autre face. □ Pour servir, épluchez la truffe, hachez les épluchures, coupez la truffe en rondelles. □ Parsemez-en la surface, répartissez une bonne cuillerée de graisse d'oie en surface, couvrez 3 minutes pour développer le parfum et faites glisser les pommes de terre dans le plat de service.

Ces pommes de terre accompagnent, en Périgord, les confits, les rôtis, les grillades et sont souvent servies seules avec une salade à l'huile de noix.

Potage au cresson

Pour 6 personnes :
1 botte de cresson
2 ou 3 pommes de terre
2 jaunes d'œufs
1 pincée de sel

100 g de crème
2 litres d'eau
30 g de beurre
Préparation : 10 minutes
Cuisson : 30 minutes

Décapitez la botte de cresson pour n'employer que les parties délicates, lavez-les avec soin, réservez quelques jolies feuilles pour parer le potage. Égouttez. □ Dans une grande casserole, mettez le beurre, les pommes de terre coupées en rondelles. □ Faites-les revenir 5 minutes. □ Ajoutez le cresson bien égoutté. □ Laissez fondre jusqu'à ce qu'il soit ramolli, couvrez d'eau, salez légèrement. □ Maintenez à petits bouillons pendant 25 à 30 minutes. □ Passez ou broyez au mixer. Rectifiez l'assaisonnement. □ Au moment de servir, versez dans le potage bouillant, mais hors du feu, la crème et les jaunes d'œufs mélangés, remuez en remettant au feu juste le temps de lier sans bouillir. □ Dispersez les feuilles de cresson crues réservées, présentez en même temps quelques croûtons frits.

Potage fermière

Pour 6 personnes :
300 g de carottes
200 g de navets
300 g de pommes de terre
3 blancs de poireaux
100 g de beurre

1 côte de céleri
1 abattis de poulet
2 litres d'eau
quelques pattes de poulet
Préparation : 35 minutes
Cuisson : 1 h à 1 h 30

Demandez à votre fournisseur de vous donner 6 à 8 pattes de poulet avec l'abattis. □ Ébouillantez tous les éléments pour bien les nettoyer. Dépouillez les pattes avec leurs ongles. □ Dans la casserole, mettez 2 litres d'eau, l'abattis entier, les pattes attachées ensemble, sel, poivre. □ Faites cuire jusqu'à cuisson presque complète. □ Pendant ce temps, détaillez tous les légumes en petits dés. □ Faites-les fondre dans une bonne cuillerée à soupe de beurre, sans qu'ils prennent couleur. □ Mouillez avec le bouillon et son contenu, faites cuire ensemble 30 à 40 minutes. □ Lorsque les carottes sont cuites, le potage est prêt. □ Retirez les morceaux de poulet. □ Ajoutez-lui au moment de servir le reste du beurre ou quelques cuillerées à soupe de crème. Si le bouillon avait trop réduit, il faudrait ajouter de l'eau bouillante pour le compléter.

Potage Parmentier

Pour 6 personnes :
4 pommes de terre, 2 poireaux
1 cuillerée à café de sel
100 g de crème fraîche
30 g de beurre

2 jaunes d'œufs (facultatif)
1 bol de dés de pain de mie
2 litres d'eau
Préparation : 20 minutes
Cuisson : 50 minutes

Coupez les poireaux en quatre en longueur, puis en petits morceaux. □ Épluchez et coupez les pommes de terre, soit en dés si vous ne passez pas le potage au mixer, soit en quartiers. □ Mettez au feu dans 2 litres d'eau salée. □ Faites cuire 40 à 45 minutes. Écumez s'il y a lieu. Broyez au mixer ou non. □ Au moment de servir ajoutez hors du feu, dans la soupe bouillante, la crème avec un ou deux jaunes d'œufs après les avoir délayés ensemble avec quelques cuillerées de potage. Présentez en même temps et à part les dés de pain de mie, doucement dorés au beurre.

Purée de marrons

Pour 6 personnes :
1,500 kg de marrons
1/4 de pied de céleri-rave
1/4 de litre de lait

2 cuillerées à soupe de crème
60 g de beurre, sel, poivre
Préparation : 40 minutes
Cuisson : 30 minutes

Enlevez la première peau des marrons. □ Mettez-les dans une casserole largement recouverts d'eau froide, amenez à ébullition et retirez du feu 2 minutes après. □ Sortez les marrons, 3 ou 4 à la fois, enlevez la seconde peau. □ Remettez-les dans une casserole avec le morceau de céleri. Salez. Couvrez-les d'eau, faites-les cuire 30 minutes environ. □ Retirez le céleri, égouttez les marrons, écrasez-les au mixer-purée en mouillant avec le lait bouillant ajouté par fractions. □ Beurrez, assouplissez à la crème, poivrez légèrement. Servez la purée de marrons avec tous les gibiers, la vénerie, les rôtis de porc, ainsi qu'avec le boudin.

Purée de pommes de terre

Pour 6 personnes :
2 kg de pommes de terre
1/2 litre de lait
125 g de beurre

sel, poivre
un peu de muscade
Préparation : 15 minutes
Cuisson : 20 minutes

Épluchez les pommes de terre ; coupez-les en quatre. □ Mettez-les dans la casserole, juste recouvertes d'eau froide. Salez. □ Amenez rapidement à ébullition, puis laissez frissonner jusqu'à ce qu'une pointe de couteau traverse facilement les morceaux. □ Égouttez à fond. □ Passez à la moulinette, beurrez largement et amenez la purée sur feu moyen, à bonne consistance, en fouettant et en ajoutant du lait bouillant. □ Rectifiez l'assaisonnement avec très peu de poivre et une pointe de muscade (si vous aimez). A la saison des pommes de terre nouvelles, faites-les cuire dans leur peau. Pour obtenir une purée délicate, n'oubliez pas que les pommes de terre doivent être juste cuites.

Ratatouille niçoise

Pour 6 à 8 personnes :
6 aubergines
4 courgettes
6 tomates
2 poivrons verts ou rouges
12 oignons moyens

bouquet garni
2 gousses d'ail
1 l d'huile d'olive
sel, poivre
Préparation : 40 minutes
Cuisson : 2 heures

Épluchez les aubergines, coupez-les en tranches, sau-poudrez-les de sel, gardez-les en attente 20 à 30 minu-tes. ▢ Mettez les poivrons au four vif. ▢ Dès qu'ils sont grillés, retirez la peau, coupez-les en lanières en évinçant les pépins. ▢ Ébouillantez les tomates, enlevez la peau, coupez-les en travers pour les épépiner.

Mettez l'huile dans la bassine à friture, faites-la chauffer. ▢ Pendant ce temps, rincez et épongez les aubergines, coupez-les en cubes. ▢ Jetez-les dans l'huile chaude. ▢ A grand feu, faites-leur juste prendre couleur. ▢ Égouttez, mettez dans le poêlon où cuira la ratatouille. ▢ Faites successivement frire les courgettes coupées en cubes, les oignons coupés en rondelles, les tomates, retirez-les et mettez-les chaque fois dans le poêlon. ▢ Enfin, ajoutez les poivrons, l'ail, le bouquet. ▢ Poivrez, couvrez, mettez à feu doux, laissez mijoter 1 heure et demie à 2 heures en remuant de temps en temps pour que le fond n'atta-che pas. ▢ Ne salez qu'en fin de cuisson et faites bouillir à grands bouillons à découvert, dans les dernières minu-tes, si la ratatouille a donné trop de jus. ▢ Servez chaud ou froid. La ratatouille froide acidifiée d'un jus de citron est un hors-d'œuvre exquis.

Riz pilaf

Pour 6 personnes :
400 g de riz
800 g d'eau
3 cuillerées à soupe
d'huile d'olive

safran
sel, poivre
2 oignons moyens
Préparation : 15 minutes
Cuisson : 18 à 20 minutes

Le riz pilaf ne se lave pas.
Dans une casserole large, mettez l'huile, les oignons hachés fin, faites fondre à feu doux sans prendre couleur, ajoutez le riz. □ En remuant, faites-le chauffer jusqu'à ce qu'il devienne laiteux. □ Couvrez d'un seul coup avec l'eau bouillante, salez, poivrez, mettez une très petite pointe de safran. □ Couvrez.
A feu doux, sans jamais remuer, faites cuire le riz à l'eau frissonnante jusqu'à ce qu'elle soit tout absorbée et que le riz soit percé de trous multiples. □ Éteignez le feu.
Ces recettes s'appliquent au riz nature, de toutes provenances. Si vous employez des riz ayant subi des préparations, conformez-vous strictement au mode d'emploi.

Riz créole

Pour 6 personnes :
300 g de riz grains longs
5 litres d'eau, sel

75 g de beurre
Préparation : 5 minutes
Cuisson : 15 à 18 minutes

Lavez le riz, sans le tremper, jusqu'à ce que l'eau soit claire, jetez-le dans cinq litres d'eau bouillante et une cuillerée à soupe de sel. □ Faites cuire à gros bouillons à découvert 15 à 18 minutes. □ Au moment où le riz ne croque plus, il est à point. □ Jetez-le dans la passoire, arrosez-le d'eau froide. □ Égouttez à nouveau. □ Mettez-le à four doux dans un large plat avec le beurre en morceaux, faites-le sécher en le remuant à la fourchette de temps en temps.

Salsifis sautés

Pour 6 personnes :
3 livres de salsifis blonds
ou de scorsonères noires
2 cuill. à soupe de farine
2 citrons

80 g de beurre
hachis de persil
1 gousse d'ail, sel, poivre
Préparation : 35 à 40 mn
Cuisson : 30 à 40 mn

Épluchez les salsifis au couteau économique. □ Coupez-les en bâtonnets, jetez-les aussitôt dans l'eau fortement citronnée pour qu'ils restent bien blancs. □ Délayez 2 cuillerées de farine dans un peu d'eau froide. □ Faites chauffer 2 litres d'eau. Au seuil de l'ébullition, ajoutez la farine et remuez jusqu'à ce que l'eau bouille, salez, ajoutez les salsifis. □ Faites-les cuire couverts à feu modéré en surveillant la cuisson. Arrêtez-la dès qu'une pointe de couteau les traverse. Aussitôt rafraîchissez-les à l'eau froide. □ Dans la poêle, faites fondre le beurre. Lorsqu'il mousse, disposez les salsifis épongés. □ Faites-les mijoter à découvert pendant 20 minutes environ sans chercher à leur faire prendre couleur et en remuant fréquemment. Salez et poivrez. Quelques minutes avant de servir, saupoudrez d'un hachis de persil très discrètement aillé (si vous aimez l'ail).

Soupe au potiron

Pour 6 personnes :
1 litre de lait
2 kg de potiron prêt à cuire
3 cuillerées à soupe de riz
2 cuillerées à soupe

de sucre (ou plus)
sel, persil haché
2 noix de beurre (facultatif)
Préparation : **10 minutes**
Cuisson : **45 à 50 minutes**

Coupez le potiron en cubes. □ Mouillez d'un verre d'eau, couvrez. □ Mettez à feu modéré jusqu'à ce que le potiron soit cuit (20 minutes environ). □ Certains potirons cuisent sans donner trop d'eau, elle affleure la pulpe ; d'autres en sont totalement recouverts. En fin de cuisson, si l'eau est trop abondante, faites-la évaporer rapidement à grand feu surveillé. □ Passez à la moulinette.

Dans une autre casserole, faites bouillir le lait. □ Ajoutez-y le potiron, le riz non lavé, salez peu, sucrez. □ Faites cuire à petit feu jusqu'à ce que le riz soit très cuit (20 à 25 minutes). □ Servez en ajoutant le beurre dans la soupière. Si vous n'aimez pas la soupe sucrée, mettez un peu plus de sel et ajoutez une cuillerée à soupe de persil haché dans la soupière avec le beurre.

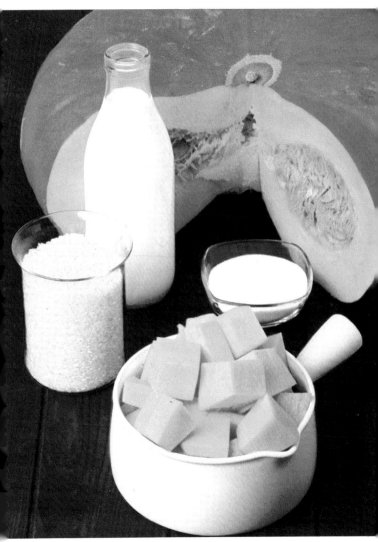

Tomates à la provençale

Pour 6 personnes :
3 livres de tomates
3 cuillerées à soupe
d'huile d'olive
2 cuillerées à café
de thym effeuillé
1 cuillerée à café
de romarin effeuillé
4 gousses d'ail
2 cuillerées à soupe
de chapelure
persil, sel, poivre
Préparation : 5 mn
Cuisson : 25 mn

Lavez les tomates, essuyez-les, coupez-les en deux. □ Disposez-les dans un plat allant au four. □ Saupoudrez chaque moitié de tomate de sel, de poivre et d'une pincée de thym et de romarin mélangés. □ Arrosez-les d'huile d'olive et faites-les cuire à four chaud (allumé 15 minutes à l'avance).

Hachez finement l'ail et le persil. □ Ajoutez-y la chapelure, mélangez intimement.

Au bout de 15 à 20 minutes, sortez le plat du four. □ Saupoudrez chaque demi-tomate d'une bonne cuillerée à café du mélange ail, persil, chapelure. □ Remettez au four, cette fois grilloir allumé, et laissez dorer cinq minutes. Les tomates à la provençale se servent chaudes, mais sont également délicieuses froides.

84

Tourin de Lavaur

Pour 6 personnes :
10 à 12 gousses d'ail
pain de campagne rassis
1,5 l d'eau

2 œufs
200 g d'huile d'olive
Préparation : 30 mn
Cuisson : 20 mn

Pelez l'ail, écrasez chaque gousse en crème. Si vous vous servez du presse-ail, mettez-en 20 gousses. □ Posez-les dans le fond de la soupière et couvrez-les de fines tranches de pain de campagne rassis. Mettez le couvercle, laissez macérer. □ Séparez les jaunes des blancs d'œufs. Réservez les blancs. Montez les jaunes en mayonnaise avec l'huile. □ Faites bouillir l'eau salée. En pleine ébullition, jetez les blancs dedans. Dès qu'ils sont pris, retirez la casserole du feu. □ Délayez la mayonnaise avec quelques cuillerées d'eau bouillante, puis, hors du feu, ajoutez toute la mayonnaise dans le bouillon en remuant et aussitôt versez dans la soupière. □ Couvrez, laissez infuser 10 minutes. Remuez, servez.

Liste des fiches-cuisine

Recettes personnelles

Recettes personnelles

Recettes personnelles

Recettes personnelles

Recettes personnelles

Recettes personnelles

Recettes personnelles

Recettes personnelles

Recettes personnelles

Recettes personnelles

Recettes personnelles

Composition réalisée par C.M.L... Montrouge

Achevé d'imprimer en Italie
par G. Canale & C. S.p.A. - Borgaro T.se - Torino
Dépôt légal 4408-11/1994
ISBN 2.253.05522.0
Édition 02

 30/8059/5